Linie 1

Deutsch in Alltag und Beruf

Kurs- und Übungsbuch B1.1

mit Video und Audio auf DVD-ROM

Stefanie Dengler
Ludwig Hoffmann
Susan Kaufmann
Ulrike Moritz
Margret Rodi
Lutz Rohrmann
Paul Rusch
Ralf Sonntag

Ernst Klett Sprachen

Stuttgart

Von
Stefanie Dengler, Ludwig Hoffmann, Susan Kaufmann, Ulrike Moritz, Margret Rodi, Lutz Rohrmann, Paul Rusch, Ralf Sonntag
Phonetik: Beate Lex
Video-Clips, Drehbuch: Theo Scherling

Projektleitung: Annalisa Scarpa-Diewald, Angela Kilimann
Redaktion: Annalisa Scarpa-Diewald, Carola Jeschke
Gestaltungskonzept und Layout: Britta Petermeyer, Snow, München
Umschlaggestaltung: Studio Schübel, München
Coverfoto: © Monkey Business – shutterstock.com und goodluz – shutterstock.com
Illustrationen: Hans-Jürgen Feldhaus, Feldhaus Text & Grafik, Münster

Fotoarbeiten: Hermann Dörre, Dörre Fotodesign, München
Fotomodelle: Sabrina Cherubini, Marco Diewald, Sarah Diewald, Berthold Götz, Herbert Gstöttner, Florian Hoppe, Jonathas Hoppe, Sabine Hoppe, Teresa Immler, Sofia Lainović, Patrick Leistner, Anna Preyss, Eva Grohmann, Jenny Roth, Sabine Sommerer, Benjamin Stadler, Roswita Steger, Helge Sturmfels, Gabriele Wall, Sara Yammouri, Anne Zips

Für die Audios:
Tonstudio: Plan 1, München
Musik: Annalisa Scarpa-Diewald
Aufnahme, Schnitt, Mischung: Christoph Tampe
Sprecher und Sprecherinnen: Ulrike Arnold, Margarita Brahms, Vladimir Brahms, Markus Brendel, Giulia Comparato, Marco Diewald, Sarah Diewald, Werner Diewald, Peter Fischer, Florian Hoppe, Sabine Hoppe, Teresa Immler, Angela Kilimann, Florian Marano, Alma Naidu, Christian Noaghiv, Anna Preyss, Anne Remus, Annalisa Scarpa-Diewald, Florian Stierstorfer, Jenny Stölken, Helge Sturmfels, Peter Veit, Sabine Wenkums; aus der Schweiz: Anja Straubhaar

Für die Videos:
Produktion: Bild & Ton, München
Regie: Theo Scherling

Verlag und Autoren danken Priscilla Pessutti Nascimento, Evguenia Rauscher, Monika Rehlinghaus und allen Kolleginnen und Kollegen, die mit wertvollen Anregungen zur Entwicklung des Lehrwerks beigetragen haben.

Linie 1 B1 – Materialien

Kurs- und Übungsbuch B1.1 mit Audios und Videos auf DVD-ROM	607090	Intensivtrainer B1	607098
Kurs- und Übungsbuch B1.2 mit Audios und Videos auf DVD-ROM	607092	Testheft mit Audio-CD B1	607099
Kurs- und Übungsbuch B1 Gesamtband mit Audios und Videos auf DVD-ROM	607094	Audio-CDs B1.1	607091
Linie 1 Digital B1 mit interaktiven Tafelbildern	607097	Audio-CDs B1.2	607093
Lehrerhandbuch B1	607101	Audio-CDs B1	607095
		DVD B1	607096
		Vokabeltrainer mit CD-ROM B1	607117

Audio-Dateien zum Download unter www.klett-sprachen.de/linie1/audioB1 Code: L1-B1&Xc
Video-Dateien zum Download unter www.klett-sprachen.de/linie1/videoB1 Code: L1-B1&rr
Lösungen, Transkripte, Lernwortschatz, Kapitelwortschatz u.v.m. kostenlos unter www.klett-sprachen.de/linie1/DownloadsB1

Besuchen Sie uns auch im Internet: www.klett-sprachen.de/linie1

1. Auflage   1⁶ ⁵ ⁴ | 2021 20 19

© Ernst Klett Sprachen GmbH, Rotebühlstraße 77, 70178 Stuttgart, 2017

Satz und Repro: Franzis print & media GmbH, München
Druck und Bindung: Print Consult GmbH, München

ISBN 978-3-12-607090-4

FSC
www.fsc.org
MIX
Papier aus verantwortungsvollen Quellen
FSC® C084279

* Lernziel des Rahmencurriculums für Integrationskurse „Deutsch als Zweitsprache"

III

Linie 1 – aktiv und sicher zum Lernerfolg

Ziele

Linie 1

→ stellt das Sprachhandeln in den Vordergrund und macht so fit für Alltag und Beruf.

→ trainiert gezielt alle Fertigkeiten: Hören, Sprechen, Lesen und Schreiben.

→ bietet eine sanfte Grammatikprogression und eine systematische Ausspracheschulung.

→ unterstützt den Unterricht mit heterogenen Lerngruppen.

→ orientiert sich am „Gemeinsamen Europäischen Referenzrahmen für Sprachen" (GER) sowie am „Rahmencurriculum für Integrationskurse Deutsch als Zweitsprache".

Der Gesamtband B1 führt zum Niveau B1 und bietet Material für ca. 160–200 Unterrichtsstunden.

Struktur Kurs- und Übungsbuch

Linie 1 hat auf jeder Niveaustufe

→ 16 Kapitel mit Kurs- und Übungsbuch,

→ 8 Haltestellen mit einem Angebot zu Landeskunde, Beruf, Wiederholung und mit Testtraining,

→ eine alphabetische Wortliste,

→ einen Grammatiküberblick im Anhang.

Aufbau der Seiten

Die **Einstiegsseiten** führen in das Kapitelthema ein und präsentieren Lernziele, Wortschatz und wichtige Redemittel.

Auf **3 Doppelseiten** werden die sprachlichen Schwerpunkte des Kapitels in mehreren Lernsequenzen erarbeitet und gefestigt. Alle vier Fertigkeiten werden ausgewogen geübt.

Auf den **Rückschauseiten** wird der Lernerfolg gesichert („Das kann ich") und die Grammatik zusammengefasst („Das kenne ich").

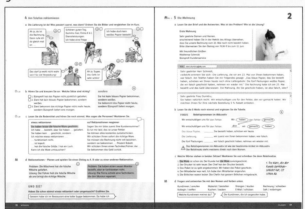

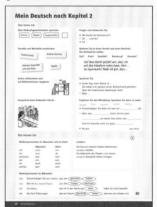

Die Übungsbuchkapitel schließen direkt an die Kursbuchkapitel an und folgen in der Nummerierung dem Kursbuchteil. **Zu jeder Aufgabe** im Kursbuchkapitel gibt es vertiefende Übungen im Übungsteil.

Kursbuch

Übungsteil

Didaktische Konzeption

- Handlungsorientierte Aufgaben bereiten die Lernenden auf **Alltag und Beruf** vor.
- Die Lernsequenzen schließen mit **UND SIE?**-Aufgaben ab, in denen die Lernenden über sich selbst sprechen können und dabei das Gelernte anwenden.
- Die Rubrik **VORHANG AUF** bietet die Möglichkeit, das Gelernte spielerisch und dialogisch zu aktivieren.
- Viele Lernsequenzen sind als kleine **Szenarien** strukturiert, in denen alltägliche Kommunikationssituationen geübt werden.

VORHANG AUF

Planen und spielen Sie Dialoge zu den Situationen.

- A: Sie hat sich am Kopf verletzt.
- B: Wo haben Sie Schmerzen?
- C: Was soll ich dir mitbringen?
- D: Und was hat der Arzt gesagt?
- E: Sie können morgen nach Hause gehen.

- Die **Grammatikerarbeitung** erfolgt nach den Prinzipien des entdeckenden Lernens.

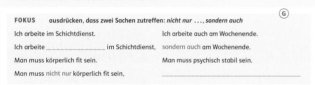

FOKUS ausdrücken, dass zwei Sachen zutreffen: *nicht nur ..., sondern auch* ⓖ

Ich arbeite im Schichtdienst. | Ich arbeite auch am Wochenende.
Ich arbeite .... im Schichtdienst, | sondern auch am Wochenende.
Man muss körperlich fit sein. | Man muss psychisch stabil sein.
Man muss nicht nur körperlich fit sein, | ....

- Die Aufgaben zur **Aussprache** sind in die Lernsequenzen integriert.

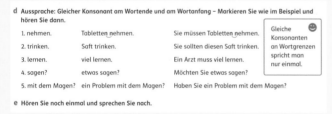

d Aussprache: Gleicher Konsonant am Wortende und am Wortanfang – Markieren Sie wie im Beispiel und hören Sie dann.

			Gleiche Konsonanten an Wortgrenzen spricht man nur einmal.
1. nehmen.	Tabletten nehmen.	Sie müssen Tabletten nehmen.	
2. trinken.	Saft trinken.	Sie sollten diesen Saft trinken.	
3. lernen.	viel lernen.	Ein Arzt muss viel lernen.	
4. sagen?	etwas sagen?	Möchten Sie etwas sagen?	
5. mit dem Magen?	ein Problem mit dem Magen?	Haben Sie ein Problem mit dem Magen?	

e Hören Sie noch einmal und sprechen Sie nach.

- Die **Landeskunde** in den „Haltestellen" bezieht Wortschatz aus den **D-A-CH**-Ländern ein.
- **Spielerische Aktivitäten** gibt es in den Kapiteln und in den „Haltestellen".

b Schreiben Sie Kärtchen mit den Verben aus der Liste und mit Substantiven. Ziehen Sie eine Karte aus jedem Stapel und bilden Sie Sätze.

schmecken • probieren • sich ärgern • stehen • machen • stellen • essen • holen • telefonieren • bestellen • bekommen • bezahlen • zufrieden sein

Nach dem Fußballtraining schmeckte das Essen besonders gut.

- **Wiederkehrendes Kapitelpersonal** bietet die Möglichkeit zur Identifikation.

- **Binnendifferenzierung** erfolgt durch Wahlmöglichkeiten nach Lerntyp, Interessen, Lerntempo usw.

UND SIE?

Wählen Sie.

Beantworten Sie die Fragen. Fragen Sie dann Ihre Partnerin / Ihren Partner und machen Sie Notizen. *oder* Schreiben Sie zu den Fragen einen kleinen Text.

	ich	Partner/in
1. An wen denkst du oft?		
2. Wovon träumst du manchmal?		
3. Mit wem triffst du dich gern?		
4. Worüber ärgerst du dich manchmal?		

- Strategien zur **Wortbildung** werden auf der letzten Seite des Übungsteils vermittelt.

WORTBILDUNG: Verben mit *weg-, weiter-, zusammen-, zurück-*

Streichen Sie den falschen Verbteil und schreiben Sie das richtige Verb.

1. Leider muss ich arbeiten. Ich würde so gerne ein paar Tage ~~zusammen~~fahren. — *wegfahren*
2. Mona ist eine sehr nette Kollegin. Mit ihr kann man sehr gut zurückarbeiten. — ....
3. Ich kann noch nicht Feierabend machen, ich muss noch wegarbeiten. — ....
4. Ich freue mich, dass du morgen weiterkommst. Ich bin nicht gern allein. — ....
5. Unser Hund ist zusammengelaufen. Hoffentlich kommt er bald wieder. — ....

- **Rechtschreibung** wird von Anfang an gezielt geübt.

RICHTIG SCHREIBEN: Lange Vokale: *e, ee* oder *eh; i, ih* oder *ie; o* oder *oh*

Ergänzen Sie. Vergleichen Sie dann mit Ihrem Partner / Ihrer Partnerin.

e Der L....*ch*....rer kam in die Klasse. Er r....dete s....r schnell, wie immer. „Heute l....sen wir zuerst, dann machen wir m....rere Übungen. Aber warum sind so viele Plätze l....r?"

i „W.......... geht es ....nen heute, Frau Wieser? Haben S.......... gut geschlafen? W..........r machen heute v..........le Untersuchungen, bis w..........r.......... Problem gefunden haben.

o „Ich bin ja s.......... fr.........., dass Sie sich wieder w..........lfühlen. Sie werden bestimmt ....ne Probleme wieder gesund", sagte der ....renarzt.

- Das **Testtraining** in den „Haltestellen" bereitet auf die Prüfungen *telc Deutsch B1, Goethe/ÖSD-Zertifikat B1* und *DTZ* vor.

2 Schreiben – Mitteilungen

So sieht die Aufgabe in der Prüfung aus:
Wählen Sie Aufgabe A oder Aufgabe B.
Zeigen Sie, was Sie können. Schreiben Sie möglichst viel.

Aufgabe A
Sie haben vor drei Monaten bei der Firma Mediaplus ein Handy gekauft. Es funktioniert jetzt nicht mehr. Sie haben bei der Firma telefonisch niemanden erreicht und schreiben deshalb eine E-Mail.

Aufgabe B
Der Hausmeisterdienst Tipptopp hat in Ihrem Haus einen Zettel aufgehängt, dass er einen Hausmeister sucht, der sich auch um den Garten kümmert. Sie suchen Arbeit und schreiben deshalb an Frau Bechtle von Tipptopp einen Brief.

Symbole

Neue Nachbarn

K1-1 **1 Ein Haus – viele Familien**

🎧 1.02–09 **a** Sehen Sie die Bilder A bis H an und hören Sie. Was passiert? Ordnen Sie die Situationen den Bildern zu.

Ⓐ ☐	Ⓑ ①	Ⓒ ☐	Ⓓ ☐
den Rasen mähen	bellen	bohren	Wäsche waschen

> Bei Situation 1 bellt ein Hund.

Ⓔ ☐	Ⓕ ☐	Ⓖ ☐	Ⓗ ☐
an der Tür klingeln	Klavier spielen	Staub saugen	lachen

b Rund um das Haus – Sammeln Sie in zwei Gruppen. Präsentieren Sie dann Ihre Ergebnisse.

Gruppe A: Was macht man?
Staub saugen   kochen   ...

Gruppe B: Was ist da?
die Mülltonne   der Keller   ...

c Wählen Sie.

Zeichnen Sie eine Tätigkeit / einen Gegenstand aus 1b. Die anderen raten.

 oder

Stellen Sie eine Tätigkeit / einen Gegenstand aus 1b pantomimisch dar. Die anderen raten.

Sprechen Haus und Nachbarn beschreiben; um Hilfe bzw. einen Gefallen bitten; über Beziehungen zu Nachbarn sprechen; Probleme schildern; über Hausregeln sprechen | **Hören** Bitte um einen Gefallen; Hausregeln; Beschwerden | **Schreiben** Beschreibung von Nachbarn; Bitte um einen Gefallen | **Lesen** Mail über Hausbewohner; Hausordnung; Mitteilung des Hausmeisters; Blogeintrag zum Stadtteil | **Beruf** Hausmeister

2 Meine neuen Nachbarn

a Lesen Sie die E-Mail von Rafael Moreno. Über welche Themen schreibt er? Kreuzen Sie an.

◯ Kollegen   ◯ Nachbarn   ◯ Stadtteil   ◯ Freunde   ◯ Wetter   ◯ Wohnung/Haus

> Lieber Christian,
> wie geht es dir? Mittlerweile sind wir in unsere neue Wohnung eingezogen. Wir haben eine sehr schöne und helle Wohnung hier in Frankfurt-Sachsenhausen, im zweiten Stock. Es gibt auch einen Parkplatz. Ich kann mein Auto direkt hinter das Haus stellen.
> Unsere Nachbarn sind alle sehr nett. Neben uns wohnt die Familie Blum. Sie haben ein kleines Baby, Mia. Sie ist total süß. Unter uns wohnt Frau Haffner. Sie hat einen Sohn, der fast ständig Fußball spielt. Ganz unten links wohnt Frau Weber. Sie ist schon in Rente und hört sehr schlecht, aber sie ist noch sehr aktiv. Sie wohnt schon über 30 Jahre im Haus und weiß über alle fast alles! Neben ihr wohnt eine Klavierlehrerin, Frau Kandels. Und dann gibt es noch Herrn Eckhardt. Das ist ein sehr ernster und sympathischer Herr mit Bart, der immer mit seinem faulen Hund Erna spazieren geht. Meine Frau und unsere drei Kinder lieben Erna.
> Welche Neuigkeiten gibt es bei dir?
> Herzliche Grüße
> Rafael

b Lesen Sie die E-Mail noch einmal. Notieren Sie die Namen und Informationen über die Hausbewohner.

2. Stock   ....   *Rafael Moreno, verheiratet, 3 Kinder*

1. Stock

Erdgeschoss (EG)

c Beschreiben Sie das Haus auf Seite 1. Benutzen Sie auch die Verben unten.

Wo?   *sein, wohnen, sitzen, stehen, liegen*

> Der Parkplatz ist hinter dem Haus.

Wohin?   *gehen, stellen, legen, sich setzen*

> Wenn man waschen will, geht man in den Keller.

Ⓖ

Wechselpräpositionen

in, an, auf, vor, hinter, über, unter, neben, zwischen

WO?	• Dativ	*hinter dem Haus sein*
WOHIN?	→ Akkusativ	*in den Keller gehen*

UND SIE?

Mein Haus / Meine Wohnung und meine Nachbarn – Wählen Sie.

Schreiben Sie eine E-Mail wie in 2a.   ◄ oder ►   Zeichnen Sie Ihr Haus / Ihre Wohnung mit den Bewohnern und erzählen Sie.

3 Ich hätte eine Bitte.

🎧 1.10–13 **a** Sehen Sie die Bilder an und lesen Sie den Zettel in D genau. Hören Sie dann die Dialoge. Welcher Dialog passt zu welchem Bild?

Ⓐ ☐  Ⓑ ☐  Ⓒ ☐  Ⓓ ☐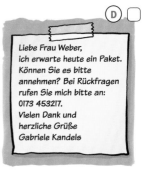

> Liebe Frau Weber,
> ich erwarte heute ein Paket.
> Können Sie es bitte
> annehmen? Bei Rückfragen
> rufen Sie mich bitte an:
> 0173 453217.
> Vielen Dank und
> herzliche Grüße
> Gabriele Kandels

b Bereiten Sie einen Dialog vor und lernen Sie ihn auswendig. Spielen Sie ihn im Kurs vor.

---

um Hilfe bitten / um einen Gefallen bitten

Ich hätte eine Bitte.
Darf ich Sie/dich um einen Gefallen bitten?
Könnten Sie / Könntest du mir helfen?
Können Sie / Kannst du …?

auf Bitten reagieren

+
Ja, gerne. / Natürlich. / Klar. / Kein Problem.
Aber klar, das mache ich doch gerne.

–
Tut mir leid, aber ich …
Fragen Sie / Frag doch mal …

---

morgen meine Katze füttern

mein Paket annehmen

mit meinem Hund spazieren gehen

nächste Woche die Blumen gießen

Brot vom Supermarkt mitbringen

…

mir einen Liter Milch leihen

● *Guten Tag, Herr … Darf ich …*
○ *…*
…
● *Vielen Dank!*
○ *Nichts zu danken!*

🎵 1.14 **c** Aussprache: Bitten – Hören Sie. Zu welchen Emotionen passen die Bitten? Kreuzen Sie an.

😞 Ich bin enttäuscht.   😊 Ich bin froh.   😣 Ich habe Angst.   😠 Ich bin ärgerlich.

1. Guck mal, die Blumen. Kannst du mir bitte Wasser bringen?   😞 😊 😣 😠
2. Ich schaffe das wieder nicht allein. Kannst du mir bitte helfen?   😞 😊 😣 😠
3. Kannst du bitte mit in den Keller kommen?   😞 😊 😣 😠
4. Ich bin eine Woche lang weg. Könnten Sie bitte den Briefkasten leeren?   😞 😊 😣 😠

🎵 1.14 **d** Hören Sie noch einmal und sprechen Sie nach.

e Schreiben Sie Bitten und sprechen Sie sie. Die anderen raten, welche Emotion das ist.

f Um einen Gefallen bitten – Schreiben Sie eine kurze Mitteilung. Wählen Sie.

Situation A   **oder**   **Situation B**

Sie fahren für zwei Wochen in Urlaub. Bitten Sie Ihre Nachbarin Frau Körner, dass sie in der Zeit Ihre Pflanzen gießt und den Briefkasten leert.

Die Möbelspedition liefert morgen die Einrichtung für Ihre Küche und eine Couch. Sie sind aber nicht zu Hause. Bitten Sie Ihren Nachbarn, Herrn Sattler, dass er die Leute von der Spedition hereinlässt.

4 In der Hausordnung steht ...

a Probleme, wenn viele Leute unter einem Dach wohnen – Beschreiben Sie die Situationen.

b Lesen Sie den Ausschnitt aus der Hausordnung. Ordnen Sie die Situationen A bis F zu.

Hausordnung

Das Zusammenleben funktioniert nur gut, wenn alle Bewohner Rücksicht nehmen.

Lärm
- Jeder Bewohner vermeidet Lärm im und vor dem Haus, besonders zwischen 12:00 und 14:00 Uhr (Mittagsruhe) und zwischen 22.00 und 7.00 Uhr (Nachtruhe). Radio, Fernsehen und Musik sind dann nur auf Zimmerlautstärke erlaubt.
- In den Ruhezeiten ist es ebenfalls nicht erlaubt, Musikinstrumente zu spielen.
- Vergessen Sie nicht, vor einer Feier die anderen Bewohner zu informieren.

Kinder
- Kinder haben das Recht zu spielen, besonders auf dem Spielplatz im Hof. Kinder und Eltern halten den Spielplatz sauber.
- Es ist nicht erlaubt, im Treppenhaus und auf den Fluren zu spielen.

Sicherheit
- Es ist Vorschrift, die Haustür und den Kellereingang nach 20:00 Uhr abzuschließen.
- Das Treppenhaus und die Flure müssen immer frei sein. Es ist verboten, dort Fahrräder und Kinderwagen abzustellen. Der richtige Platz für den Kinderwagen ist der Abstellraum.
- Es ist verboten, auf dem Balkon zu grillen. Im Hof gibt es eine Grillstelle.

Reinigung und Sauberkeit
- Achten Sie darauf, Ihren Müll zu trennen und in den Mülltonnen zu entsorgen.

c Ergänzen Sie die Sätze aus 4b in der Tabelle.

(G)

FOKUS	Infinitiv mit *zu*
Vergessen Sie nicht,	vor einer Feier die anderen Bewohner zu informieren.
Achten Sie darauf,	Ihren Müll ....
Es ist verboten,	im Treppenhaus Fahrräder abzustellen.
Es ist Vorschrift,	nach 20:00 Uhr die Haustür ....

⚠ Infinitiv mit *zu* steht nach bestimmten Verben, Nomen und Adjektiven.

UND SIE?

Welche Regeln aus Hausordnungen kennen Sie noch? Sprechen Sie.

> In ... ist es erlaubt/verboten, ... zu ...

> Bei uns darf man / darf man nicht ...

K1-2 **5 Gespräche im Flur**

🎧 1.15-17 **a** Hören Sie die Gespräche. Ordnen Sie die Sätze zu.

1. Frau Weber bittet Frau Blum,
2. Frau Blum verspricht,
3. Es ist im Haus Vorschrift,
4. Herr Moreno hat heute keine Zeit,
5. Gestern war es nicht möglich,
6. Frau Weber hat Jan schon oft gebeten,

a) die Haustür nach acht Uhr abzuschließen.
b) mit Frau Weber einen Kaffee zu trinken.
c) im Freien zu spielen.
d) den Kinderwagen in den Abstellraum zu stellen.
e) auf dem Flur keinen Lärm zu machen.
f) die Treppe nicht zu blockieren.

b Tipps zum Zusammenleben – Setzen Sie die Sätze 1 bis 6 fort. Verwenden Sie Infinitiv mit *zu*. Schreiben Sie weitere Sätze.

(G)

> **Infinitiv mit *zu* ...**
>
> **nach bestimmten Verben**
> (nicht) vergessen, versuchen,
> versprechen, bitten,
> anfangen, beginnen, ...
>
> **nach Adjektiven + *sein/finden***
> Es ist (nicht) möglich, notwendig ...
> Es ist (nicht) einfach, ...
> Ich finde es wichtig, gut ...
>
> **nach Nomen + Verb**
> (keine) Zeit haben, ...
> Es macht (keinen) Spaß, ...
> Es ist Vorschrift, ...

1. Man darf nicht vergessen, ...
2. Man sollte versuchen, ...
3. Es ist einfach und wichtig, ...
4. Ich finde es gut, ...
5. Es macht Spaß, ...
6. Es macht keinen Spaß, ...

1. Man darf nicht vergessen, den Müll richtig zu entsorgen.

c Gut zusammen leben – Was ist wichtig? Sprechen Sie.

(A)

(B)

Kann ich Ihnen etwas anbieten?

(C)

(D)

Kann ich Ihnen helfen?

Für morgen Abend haben wir Freunde eingeladen.

(E)

Guten Tag, Frau Schmidt!

(F)

Hallo, Emilia!

andere Bewohner grüßen   bei Problemen freundlich bleiben   die Nachbarn informieren

jemanden einladen   keinen Lärm machen   Musik mit Kopfhörern hören   die Treppe frei halten

Schmutz wegputzen/beseitigen ...   nach dem Spielen/Grillen aufräumen   Hilfe anbieten

Man sollte die anderen Bewohner grüßen.   Ich finde es wichtig, bei Problemen freundlich zu bleiben.

UND SIE?

Was finden Sie wichtig für eine gute Stimmung im Kurs? Schreiben Sie fünf Regeln.

6 Das geht doch nicht ...

a Lesen Sie den Text. Was macht der Hausmeister? Kreuzen Sie an: richtig oder falsch?

Hausverwaltung Farka
www.HMSfarka.de

Ab sofort haben wir den
Hausmeisterservice im Wohnhaus
Danklstraße 11 übernommen.
Ihr zuständiger Hausmeister ist
Harald Gröbner.
Herr Gröbner ist zu folgenden
Zeiten in der Wohnanlage anwesend:
Mo. 7:30–12:00 Uhr   Fr. 14:00–17:00 Uhr

Wir machen sowohl die Flure und das
Treppenhaus als auch den Hof und den
Platz vor dem Eingang sauber.
Reinigung im Haus: 2x pro Woche
Reinigung außen: 1x pro Woche
Außerdem pflegen wir sowohl den Rasen
als auch die Bäume und Sträucher im Hof und
vor dem Haus. Wir machen auch den Winterdienst.
Wenn es Störungen (Licht, Wasser, Heizung) gibt,
verständigen Sie bitte Herrn Gröbner direkt: 0163 / 2479601

	R	F
1. Herr Gröbner reinigt den Flur und den Hof dreimal pro Woche.	☐	☐
2. Er macht die Gartenarbeit.	☐	☐
3. Er ist am Montag vormittags und nachmittags da.	☐	☐

b Ergänzen Sie die Sätze im Kasten.

Ⓖ

> **FOKUS**   *sowohl ... als auch*
>
> Herr Gröbner ist am Montag und am Freitag da.
>
> Herr Gröbner ist sowohl .... als auch .... da.
>
> Der Hausmeister pflegt .... den Rasen .... Bäume und Sträucher.

c Verbinden Sie die beiden Informationen. Schreiben Sie.

1. Familie Moreno – einen Sohn und zwei Töchter haben
2. Frau Weber – Hunde und Katzen gern haben
3. im 1. Stock – Frau Haffner und Herr Eckhardt wohnen

1. Familie Moreno hat sowohl einen Sohn als auch ...

🎧 1.18 – 19 **d** Hören Sie die Gespräche mit Hausmeister Gröbner.
Worüber reden die Personen?

🎧 1.18 – 19 **e** Hören Sie noch einmal. Welche Ausdrücke hören Sie?
Markieren Sie.

> | das Problem nennen | sich entschuldigen | auf eine Entschuldigung reagieren |
> |---|---|---|
> | Ich finde nicht gut, dass ... | Das tut mir leid. | Das ist schon in Ordnung. |
> | Es geht nicht, dass ... | Ich möchte mich entschuldigen. | Das ist ja nicht so schlimm. |
> | Sie können nicht ... | Das habe ich nicht gewusst. | Ist ja schon gut. |

UND SIE?

Was für Probleme gibt es bei Ihnen in Mietshäusern? Sind das die gleichen Probleme oder andere?
Wie lösen Sie sie? Sprechen Sie.

7 Mein Stadtteil

a Was gehört für Sie zu einem guten Stadtteil? Sammeln Sie.

> Die Kinder haben keinen weiten Weg zur Schule.

> Man kann in der Nähe gut einkaufen.

b Was findet der Blogger Karl Händel an seinem Stadtteil gut, was nicht? Markieren Sie mit zwei Farben und vergleichen Sie mit Ihrem Partner / Ihrer Partnerin.

Weshalb ich vor ein paar Jahren vom Norden Frankfurts nach Sachsenhausen im Süden gezogen bin? Gute Frage. Ich habe mich aus drei Gründen für diesen Stadtteil entschieden. Erstens: Ich kann mit der U-Bahn zur Arbeit fahren und bin schnell in der Innenstadt. Das ist sehr praktisch. Die Mieten sind zwar ziemlich hoch, aber für mich geht es gerade noch. Zweitens: Es gibt sehr viele Lebensmittelgeschäfte und kleine Gaststätten in der direkten Umgebung. Für mich ist wichtig, dass die Lokale unterschiedlich sind. Dort treffe ich mich gern mit Bekannten und Freunden. Einerseits mag ich hippe internationale Lokale, andererseits liebe ich aber auch alte Gasthäuser, die schon immer da waren. In Sachsenhausen sind das die Apfelwein-Wirtschaften. Es gibt viele, ein paar davon finde ich richtig gut. Aber auch fast alle Besucher von Frankfurt möchten Apfelwein-Wirtschaften erleben. Daher steigen die Preise, die Qualität sinkt und oft ist es einfach zu voll. Drittens ist ganz einfach: Ich liebe Fußball. Und das Stadion von meinem Verein Eintracht Frankfurt ist nicht weit weg, ich brauche nur 10 Minuten. Was will ich als Fußballfan mehr? Weniger schön ist der Verkehr. Zumindest in meiner Straße ist es ziemlich laut.

der Main und die Skyline von Frankfurt

Apfelwein-Wirtschaft

c Lesen Sie den Blogeintrag noch einmal. Welche Aussage ist richtig? Kreuzen Sie an: ⓐ oder ⓑ?

1. Karl Händel findet wichtig, dass
ⓐ er direkt in seiner Umgebung einkaufen kann.
ⓑ die Miete für die Wohnung billig ist.

2. Er findet weniger schön, dass
ⓐ er in den Wirtschaften Bekannte trifft.
ⓑ es so viele Touristen gibt.

3. Er schreibt in seinem Blog, dass
ⓐ die Fußballfans sehr laut sind.
ⓑ er die Fußballspiele seines Vereins besucht.

d Schreiben Sie einen kurzen Text über Ihren Stadtteil oder über Ihren Wohnort.

Einkaufen   Verkehr   Kinder   Freizeit   …

VORHANG AUF

Sie sind Nachbarn. Spielen Sie die Szene.

Person A

Sie sind neu im Haus und kennen die Hausordnung noch nicht. Sie grillen auf dem Balkon, stellen das Mountainbike ins Treppenhaus, bohren und saugen Staub in der Mittagszeit usw. B beschwert sich bei Ihnen.
Entschuldigen Sie sich, beruhigen Sie B.

Person B

Ihre Wohnung ist voller Rauch, weil A auf dem Balkon grillt. Vor der Tür steht sein/ihr Mountainbike und macht das Treppenhaus schmutzig. In der Mittagszeit können Sie nicht schlafen, weil A sehr laut ist. Beschweren Sie sich, weisen Sie auf die Hausordnung hin.

ÜBUNGEN

1 Ein Haus – viele Familien

a Markieren Sie zwölf Wörter zum Thema Wohnen. Schreiben Sie die Wörter mit Artikel.

E	G	A	R	A	G	E	P	W	W	A	F
R	U	G	I	T	T	B	A	T	O	B	L
D	I	B	A	D	M	N	R	A	H	S	U
G	L	W	A	U	N	I	K	Z	N	I	R
E	R	E	G	A	L	O	P	T	Z	L	A
S	B	A	L	K	O	N	L	V	I	C	H
C	A	S	R	E	T	I	A	N	M	R	G
H	T	U	H	L	I	V	T	L	M	M	A
O	J	W	N	L	O	N	Z	O	E	V	R
S	E	C	N	E	K	S	O	T	R	R	T
S	I	T	E	R	R	A	S	S	E	I	E
L	B	R	I	E	F	K	A	S	T	E	N

1. *der Parkplatz* ....
2. ....
3. ....
4. ....
5. ....
6. ....
7. ....
8. ....
9. ....
10. ....
11. ....
12. ....

b Ergänzen Sie Wörter aus 1a.

Wir haben jetzt eine neue Wohnung. Sie liegt im (1) *Erdgeschoss* .... Wir haben eine schöne

(2) .... Da sitzen wir oft. Unser (3) .... ist sehr hell

und groß, aber das (4) .... ist leider etwas klein und dunkel. Mein Auto kann ich

auf dem (5) .... hinter dem Haus parken und unsere Fahrräder können wir in

den (6) .... stellen. Unsere Wohnung gefällt uns sehr. ☺

2 Meine neuen Nachbarn

a *Wo?* oder *Wohin?* – Schreiben Sie die Fragen.

1. Familie Moreno wohnt **im zweiten Stock**.
2. Die Waschmaschine hat Herr Moreno **in den Keller** gestellt.
3. Die Nachbarin sitzt **auf dem Balkon**.
4. Die Mülltonnen stehen **hinter dem Haus**.
5. Der Hund legt sich **unter den Tisch**.
6. Die Fahrräder darf man nicht **in den Flur** stellen.

1. Wo wohnt Familie Moreno?

b Was stimmt nicht? Suchen Sie die Fehler und schreiben Sie die Sätze richtig.

1. Herr Döring steht im Garten.
2. Seine Frau steht in der Garage.
3. Die Küche ist im ersten Stock.
4. Die Katze springt auf die Garage.
5. Das Auto steht auf dem Balkon.
6. Links neben dem Haus steht ein Baum.
7. Die Tochter liest ein Buch im Wohnzimmer.
8. Der Hund liegt unter dem Tisch.
9. Die Mülltonne liegt unter dem Balkon.
10. Das Fahrrad steht vor der Garage.

1. Herr Döring sitzt im Garten.

3 Ich hätte eine Bitte.

a Welche zwei Reaktionen passen? Kreuzen Sie sie an: ⓐ, ⓑ oder ⓒ?

1. Könnten Sie mir bitte helfen?
   - ⓐ Nein, danke.
   - ⓑ Ja, gerne.
   - ⓒ Tut mir leid. Ich habe jetzt keine Zeit.

2. Könnten Sie mir ein paar Eier geben?
   - ⓐ Ich habe keine im Haus, aber fragen Sie doch mal meine Nachbarin, Frau Hell.
   - ⓑ Ich habe jetzt leider keine Zeit.
   - ⓒ Wie viele brauchen Sie?

3. Vielen Dank für Ihre Hilfe.
   - ⓐ Nichts zu danken.
   - ⓑ Das habe ich doch gerne gemacht.
   - ⓒ Ja, bitte.

♫ 1.20 **b Aussprache: Sätze verlängern. Achten Sie auf die Akzente. Hören Sie und sprechen Sie nach.**

1. Könntest du mir **hel**fen?
   Könntest du mir heute **Nach**mittag helfen?
   Könntest du mir heute Nachmittag im **Gar**ten helfen?
2. Könnten Sie mir Sa**lat** mitbringen?
   Könnten Sie mir **mor**gen Salat mitbringen?
   Könnten Sie mir morgen Salat vom **Markt** mitbringen?
3. Könnten Sie das Fahrrad in den **Kel**ler stellen?
   Könnten Sie das Fahrrad **bit**te in den Keller stellen?
   Könnten Sie das Fahrrad bitte in **Zu**kunft in den Keller stellen?

🎧 1.21-22 **c** Ergänzen Sie die Dialoge und hören Sie zur Kontrolle.

Dialog 1

● Guten Tag, Herr Eckhardt.
○ 1. [b]
● Ich hätte eine Bitte. Könnten Sie
  meine Blumen nächste Woche gießen?
○ 2. ☐
● Das ist eine gute Idee. Vielen Dank.
○ 3. ☐

Dialog 2

● Hallo, Jan.
○ 4. ☐
● Darf ich dich um einen Gefallen bitten?
○ 5. ☐
● Könntest du bitte meinen Müll zur Mülltonne bringen?
○ 6. ☐
● Danke, das ist sehr nett.
○ 7. ☐

a) Natürlich. Das mache ich sofort.

c) Ja, klar.

b) Guten Tag, Frau Kandels.

d) Kein Problem. Das mache ich doch gerne.

e) Guten Tag, Frau Weber.

f) Nichts zu danken.

g) Tut mir leid, aber ich bin nächste Woche in Urlaub. Fragen Sie doch Familie Moreno.

🚑 Hilfe? – Hören Sie zuerst und ergänzen Sie dann.

d Zwei Mitteilungen – Ergänzen Sie die Wörter.

Hallo, Sybille,
ich komme heute (1) **später**
(rpeäst), weil ich heute länger im
(2) .... (üBor)
arbeiten muss. Kannst du bitte
noch (3) .... (trBo)
und (4) .... (lhMci)
einkaufen? Das wäre super von dir.
Deine (5) .... (aaMm)

Lieber Herr Eckhardt,
ich habe Sie heute (6) .... (goMrne)
nicht persönlich getroffen. Heute kommen bei mir
die (7) .... (laMre). Können Sie
diese bitte in meine (8) ....
(gnoWnhu) lassen? Mein Wohnungsschlüssel liegt
in Ihrem (9) .... (sBinekarfte).
Vielen (10) .... (aknD).
Rafael Moreno

P   **e** Eine Mitteilung schreiben – Wählen Sie A oder B.

Ⓐ Vor vier Wochen sind Sie in eine neue Wohnung
eingezogen, aber Ihr Name steht immer noch
nicht an der Klingel und am Briefkasten.
Deshalb schreiben Sie an die Hausverwaltung.

Schreiben Sie etwas über folgende Punkte:
• Grund für Ihr Schreiben
• Termin
• wie Sie erreichbar sind
• Dank

Ⓑ Sie wohnen seit kurzer Zeit in Ihrer neuen
Wohnung. Sie möchten Ihre Nachbarn zu
einer kleinen Feier einladen.
Deshalb schreiben Sie eine Einladung.

Schreiben Sie etwas über folgende Punkte:
• Grund für Ihr Schreiben
• Termin für die Feier
• wo die Feier stattfindet
• was Sie vorbereiten

4 In der Hausordnung steht ...

a Was passt zusammen? Ordnen Sie zu.

1. Das ist verboten.	a) Das macht man nicht gerne.
2. Das ist möglich.	b) Das ist wichtig.
3. Das ist Vorschrift.	c) Das muss man machen.
4. Das macht keinen Spaß.	d) Das darf man nicht machen.
5. Darauf müssen Sie achten.	e) Das darf man machen.
6. Das ist erlaubt.	f) Das kann man machen.

b Schreiben Sie zehn Sätze.

Es ist verboten,

Es ist nicht erlaubt,

Es ist Vorschrift,

Achten Sie darauf,

Vergessen Sie nicht,

die Tür nach 22 Uhr abschließen

den Müll trennen

Fußball im Garten spielen

im Treppenhaus laut schreien

Lärm vermeiden

Müll neben die Mülltonnen stellen

die Fahrräder im Treppenhaus abstellen

nachts laut Musik hören

auf dem Balkon grillen

...

1. Es ist Vorschrift, die Tür nach 22 Uhr abzuschließen.

5 Gespräche im Flur

a Schreiben Sie Sätze mit Infinitiv mit *zu*.

1. ich / wichtig finden / es / , // die Nachbarn grüßen / .

   Ich finde es wichtig, die Nachbarn zu grüßen.

2. Spaß machen / es / , // im Garten grillen / mit den Nachbarn / .

3. notwendig sein / es / , // nach dem Grillen / aufräumen / .

4. Herr Eckhardt / keine Zeit haben / , // Kaffee trinken / mit der Nachbarin / .

5. Vorschrift sein / es / , // die Treppe frei halten / immer / .

6. die Nachbarin / gestern mich bitten / , // die Pflanzen gießen / .

b Schreiben Sie fünf Sätze über sich.

① Heute habe ich keine Lust, ...

② Es macht mir großen Spaß, ...

③ Ich finde es wichtig, ...

④ Es ist interessant, ...

⑤ Ich fange bald an, ...

6 Das geht doch nicht ...

P
🎧 1.23

a Sie hören nun ein Gespräch zwischen zwei Nachbarn. Sie hören das Gespräch einmal. Sind die Aussagen richtig oder falsch? Lesen Sie jetzt die Aufgaben 1 bis 7.

	R	F
1. Herr Altun hat in der Türkei Urlaub gemacht.	◯	◯
2. Das Wetter war im Urlaub nicht so schön.	◯	◯
3. Der Service im Hotel war sehr gut.	◯	◯
4. Herr Altun muss morgen wieder arbeiten.	◯	◯
5. Im zweiten Stock ist eine neue Mieterin eingezogen.	◯	◯
6. Die Malerfirma kommt nächste Woche zu Familie Meyer.	◯	◯
7. Herr Altun lädt Frau Meyer und ihren Mann für Sonntag um drei Uhr ein.	◯	◯

b Lesen Sie. Welche Probleme hat nelly2016 mit den Nachbarn? Kreuzen Sie an.

◯ Müll vor der Wohnungstür   ◯ Müll nicht getrennt   ◯ Grillen auf dem Balkon
◯ laute Musik   ◯ Treppe nicht geputzt   ◯ Lärm in der Nacht

Forum	👥	Suche

nelly2016

Hallo zusammen,
seit vier Monaten haben wir neue Nachbarn und wir haben große Probleme mit ihnen. Wir haben drei Wochen lang praktisch nicht mehr geschlafen, weil sie fast jede Nacht ab circa 24 Uhr Besuch bekommen, der sehr laut ist und dann bis 3 oder 4 Uhr bleibt. Auch sonntags haben wir keine Ruhe. Da hören unsere Nachbarn gerne sehr laute Musik. Außerdem stellen sie ihren Müll vor die Wohnungstür und dann riecht es im ganzen Treppenhaus schrecklich. Wir haben schon mit ihnen gesprochen, aber das hat auch nicht geholfen. Wer kennt die Probleme und weiß eine Lösung?
Liebe Grüße, Nelly

senta
Hallo Nelly, ich kenne das Problem mit dem Lärm sehr gut. Ich habe die Polizei gerufen. Seit dieser Zeit halten die Nachbarn sich an die Ruhezeiten!

siggi
Fühlen sich die anderen Nachbarn durch diese Leute auch gestört? Wenn ja, dann sammle Unterschriften.

katja
An deiner Stelle würde ich ausziehen und eine neue Wohnung suchen, weil dich diese Situation krank macht.

wendy
Du solltest unbedingt immer notieren, wann die Nachbarn welchen Lärm machen. Außerdem solltest du Fotos vom Müll machen.

c Welche Vorschläge finden Sie gut/nicht so gut? Haben Sie noch andere Ideen? Ergänzen Sie die Sätze.

> An deiner Stelle würde ich ...

> Ich finde es nicht gut, wenn ...

> Du könntest ...

> Es ist keine gute Idee, ... zu ...

> Wie wäre es, wenn ...

d Schreiben Sie Sätze mit *sowohl ... als auch.*

1. Herr Moreno / arbeiten / vormittags + nachmittags
2. Herr Eckhardt / haben / ein Fahrrad + ein Motorrad
3. Carla / lernen / Deutsch + Englisch
4. Frau Kandels / spielen / Klavier + Gitarre
5. Familie Moreno / zur Party einladen / Freunde + Nachbarn

> *1. Herr Moreno arbeitet sowohl vormittags als auch nachmittags.*

7 Mein Stadtteil

a Was finden Sie wichtig/unwichtig in Ihrem Stadtteil? Schreiben Sie die Tabelle in Ihr Heft.

~~viele Freizeitmöglichkeiten~~

Geschäft in der Nähe

nette Nachbarn

Garten/Balkon

öffentliche Verkehrsmittel in der Nähe

wenig Verkehr   Kindergarten in der Nähe

Arbeitsplatz in der Nähe

frische Luft   Parkplatz/Garage   …

wichtig	unwichtig
viele Freizeitmöglichkeiten …	…

b Schreiben Sie Sätze mit den Satzteilen aus 7a.

Ich finde es wichtig, …

Für mich ist es nicht so wichtig, …

Ich möchte …

Ich brauche …, weil …

Ich … Deshalb …

WORTBILDUNG: Wortfamilien

Leichter lernen mit Wortfamilien: Ergänzen Sie die Wortigel.

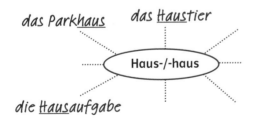 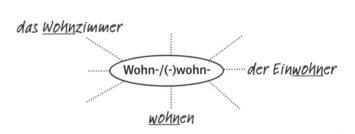

das Parkhaus   das Haustier

das Wohnzimmer

Haus-/-haus

Wohn-/(-)wohn-   der Einwohner

die Hausaufgabe

wohnen

RICHTIG SCHREIBEN: au/äu/eu und a/ä/e

Ergänzen Sie au, äu, eu, a, ä oder e.

1. der Freund – fre**u**ndlich
2. der Tr___m – die Träume
3. der Tag – t_glich
4. das Hemd – die H_mden
5. das Haus – die H___ser

6. die Wand – die W**ä**nde
7. der Parkplatz – die Parkpl_tze
8. der Baum – die B___me
9. die H_nd – die Hände
10. die Z_hl – zählen; zahlen

> e und eu bleiben e und eu.
>
> Manchmal wird a zu ä und au zu äu.

Mein Deutsch nach Kapitel 1

Das kann ich:

Haus und Nachbarschaft beschreiben

Beschreiben Sie Ihr Haus und Ihre Nachbarschaft.

> Ich wohne ...
> Unser Haus / Unsere Wohnung ...
> Meine Nachbarn ...

---

um einen Gefallen bitten

Blumen gießen

Paket annehmen

Sprechen Sie.

- ● Ich hätte eine Bitte. Könnten Sie ...?
- ○ Ja, klar.

- ○ Darf ich Sie um einen Gefallen bitten?
- ● ...

über Hausregeln sprechen

Schreiben Sie über drei Regeln.

> Man sollte versuchen...
> Ich finde es gut, ...
> Es ist wichtig, ...

Probleme ansprechen / mich entschuldigen

Spielen Sie zwei Dialoge.

- ● Es geht nicht, dass ...
- ○ Entschuldigung ...

- ○ Sie können nicht ...
- ● Tut mir leid. ...

www → B1/K1

Das kenne ich:

(G)

Infinitiv mit *zu* nach bestimmten Verben, Nomen und Adjektiven

Verben	Adjektive + *sein/finden*	Nomen + Verb
(nicht) vergessen, versuchen,	Es ist (nicht) möglich, notwendig ...	(keine) Zeit haben, ...
versprechen, bitten,	Es ist (nicht) einfach, ...	Es macht Spaß, ...
anfangen, beginnen, ...	Ich finde es wichtig, gut ...	Es ist Vorschrift, ...

Hauptsatz	Nebensatz
Vergessen Sie nicht,	vor einer Feier die anderen Bewohner zu informieren.
Es ist verboten,	im Treppenhaus Fahrräder abzustellen.
Es ist Vorschrift,	nach 20:00 Uhr die Haustür abzuschließen.

sowohl ... als auch

Herr Gröbner ist am Montag und Freitag da.
Herr Gröbner ist sowohl am Montag als auch am Freitag da.

Wechselpräpositionen

in, an, auf, vor, hinter, über, unter, neben, zwischen

WO? • **Dativ** *in der Küche sein*   **WOHIN?** → **Akkusativ** *in die Küche gehen*

(G)

Hier kaufe ich ein.

Ich muss noch einkaufen!

1 Wir brauchen noch ...

a Was passt zu welchem Foto? Ordnen Sie zu.

etwas liefern   Waren/Material bestellen   einkaufen müssen   das Paket   der Absender   eine Frühstückspause haben

den Empfang bestätigen   der Laden / das Geschäft / der Supermarkt   etwas aus der Bäckerei holen

🎧 1.24–26 **b** Hören Sie drei Dialoge. Was machen die Personen? Wie kaufen sie ein? Welche Vorteile nennen sie?

> Jemand hat etwas aus der Bäckerei geholt. Da ist alles ganz frisch.

c Was kaufen Sie wo? Fragen Sie mindestens drei Personen im Kurs.

> Pedro, was kaufst du in kleinen Geschäften?

> Brot hole ich in ...

	in kleinen Geschäften	*online*	*im Supermarkt*
Pedro	*Brot in der Bäckerei*		

Sprechen sich über Einkaufsmöglichkeiten und -gewohnheiten austauschen; Vorteile und Nachteile ausdrücken; etwas reklamieren; Gespräche beim Einkaufen | Hören Gespräche im Büro; Gespräche beim Einkaufen; Reklamation | Schreiben Text über Einkaufsgewohnheiten | Lesen Artikel über Einkaufsgewohnheiten; Mahnung; Texte über Einkaufsmöglichkeiten | Beruf mit Kunden telefonieren; auf Reklamationen reagieren

2 Ich mache es meistens so.

a Lesen Sie den Chat. Wie geht es weiter? Was kann Eleni machen? Sammeln Sie Ihre Ideen.

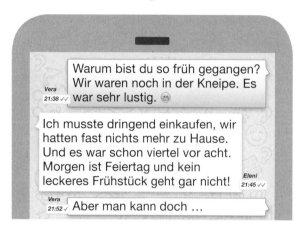

> **Vera** 21:38 ✓✓
> Warum bist du so früh gegangen? Wir waren noch in der Kneipe. Es war sehr lustig. 😒
>
> **Eleni** 21:45 ✓✓
> Ich musste dringend einkaufen, wir hatten fast nichts mehr zu Hause. Und es war schon viertel vor acht. Morgen ist Feiertag und kein leckeres Frühstück geht gar nicht!
>
> **Vera** 21:52 ✓
> Aber man kann doch …

> Eleni kann doch zu einer Tankstelle fahren und …

b Arbeiten Sie zu dritt. Jeder liest einen Text. Machen Sie dann gemeinsam eine Tabelle.

SO KAUFE ICH AM LIEBSTEN EIN

Auf dem Markt, im kleinen Laden oder Supermarkt, auf dem Bahnhof oder online: Es gibt viele Möglichkeiten, wie man seine Einkäufe erledigen kann. Wir haben drei Personen gefragt.

Ich habe fast nie Zeit zum Einkaufen. Ich bin selbstständig und arbeite sehr viel. Deshalb ziehe Mike Grosser, 32 ich es vor, meine Lebensmittel online zu bestellen. Der Lieferservice bringt die Sachen nach Hause, bis nachts um 22:00 Uhr. So verliere ich keine Zeit. Die Dinge für den Haushalt bestelle ich gleich mit. Ich kaufe beinahe alles online, auch Geräte. Kleidung und Schuhe kaufe ich allerdings im Geschäft, weil ich da Beratung brauche.

Ich habe immer gern eingekauft, weil ich da Leute getroffen habe. Aber dann sind die kleinen Läden verschwunden: keine Metzgerei, keine Bäckerei, kein Gemüseladen mehr. Mein Sohn musste jede Woche mit mir in den Supermarkt einkaufen fahren. Aber jetzt gibt es wieder einen türkischen Händler gleich um die Ecke. Da bekomme ich alle Nahrungsmittel und auch viele Sachen für den Haushalt. Seine Tochter trägt mir sogar die schwere Tasche nach Hause. Anna Leitner, 84

Wir machen einmal pro Woche den großen Einkauf – am Samstag. Dann fahren wir zum großen Supermarkt und mein Mann kommt gewöhnlich auch mit. Sonst haben wir unter der Woche keine Zeit. Brot und Fleisch kaufen wir nur tiefgekühlt, weil das lange haltbar ist. Wenn mir beim Kochen was fehlt, dann besorge ich das schnell an der Tankstelle. Die ist 24 Stunden am Tag geöffnet. Im Urlaub gehe ich gern auf den Markt. Dann habe ich Zeit. Sophia Garga, 34

	Was kauft die Person? Wie?	Warum macht er/sie das so?
Mike Grosser	Lebensmittel: online	

UND SIE?

Wählen Sie.

Es ist Sonntag. Sie bekommen unerwartet Besuch und müssen etwas für die Gäste einkaufen. Was machen Sie? Sprechen Sie.

 oder

Wann und wie kann man in Deutschland und in Ihrem Land einkaufen? Beschreiben Sie die Möglichkeiten. Schreiben Sie.

3 Kommst du mit auf den Markt?

a Lesen Sie beide Anzeigen. Vergleichen Sie die Informationen.

Zeit? Preis? Qualität? Beratung? Kontakt?

@ **WEBBI** online @

Der Supermarkt kommt zu Ihnen nach Hause

Sie wählen aus unserem gesamten Angebot, wann und wo Sie wollen.

Sie sagen uns, wann wir die Waren liefern können. Spätestens drei Stunden nach der Bestellung kann alles bei Ihnen sein.

Sie müssen nicht an der Kasse warten und tragen keine schweren Einkäufe.

Sie sparen Zeit und die Kosten für die Fahrt.

Ihre Ausgaben für die Zustellung sind gering, wir berechnen die Kosten je nach Entfernung zu Ihrem Wohnort. Einkäufe mit Waren im Wert von 100 € und mehr stellen wir gratis zu.

www.webbi.de/onlinekauf

Der SAMSTAGSMARKT auf dem Walter-Platz: Einkaufen als Erlebnis

Wir garantieren: Sie kaufen ausschließlich direkt bei Produzenten aus der Umgebung: kurze Transportwege, keine lange Lagerung.

- Käse von Schafen vom Gassner-Hof
- Frische Forellen und andere Fischprodukte von der Fischzucht Bachmühle
- Rind- und Schweinefleisch sowie Wurst vom Bio-Bauernhof Gertl
- biologisches Gemüse, Kartoffeln und Obst je nach Saison direkt von fünf Gemüsebauern
- Marmeladen und Säfte aus eigener Erzeugung vom Knauer-Hof

Jeden Samstag von 7:30–13:00 Uhr. Wir verkaufen nicht nur, wir beraten Sie auch gerne. Überzeugen Sie sich selbst von der Qualität: Sie können die meisten Produkte probieren.

🎧 1.27 **b** Fabian und Eleni unterhalten sich. Welche Vor- und Nachteile vom Markt am Walter-Platz nennen sie? Sprechen Sie.

🎧 1.27 **c** Hören Sie noch einmal. Wer sagt was? Notieren Sie E (Eleni) oder F (Fabian).

1. Ich interessiere mich nicht für Märkte. ....
2. Ich sehe mir die Produkte an. ....
3. Dann entscheide ich mich. ....
4. Ich unterhalte mich auch gern mit Verkäufern. ....
5. Ich überlege mir das noch. ....

d Markieren Sie in 3c das Verb und *mir/mich*. Ergänzen Sie die Tabelle. Ⓖ

FOKUS Reflexivpronomen im Akkusativ und im Dativ

	Verb	Dativ	Akkusativ				Akkusativ	Dativ
Ich	....		mich	nicht für Märkte.		ich	mich	mir
Ich	....		....	gern mit Verkäufern.		du	dich	dir
Ich	....	mir	die Produkte	an.		er/es/sie	sich	sich
Ich überlege		....	....	noch.		wir	uns	uns
						ihr	euch	euch
						sie/Sie	sich	sich

e Schreiben Sie.

1. viele Leute / sich ärgern / wenn / ...
2. ich / sich überlegen / ob / ...
3. wir / sich unterhalten / weil / ...
4. ich / sich ansehen / weil / ...

Viele Leute ärgern sich, wenn ...

4 Am Telefon reklamieren

a Die Lieferung ist da! Was passiert zuerst, was dann? Ordnen Sie die Bilder und vergleichen Sie im Kurs.

(A) Ah ja, da ist die Rechnung. Dann rufe ich da gleich mal an …

(B) Schönen guten Tag, Dumitru hier, Firma K & L Dienstleistungen. Ich habe eine Frage …

(C) Ich habe doch kein weißes Papier bestellt!

(D) (1) Das darf ja wohl nicht wahr sein! So viel Verpackung!

(E) Ah ja. Super, das Gelb ist sehr schön!

🎧 1.28 **b** Hören Sie und kreuzen Sie an: Welche Sätze sind richtig?

☐ 1. Büroprofi hat das Papier nicht pünktlich geliefert.
☐ 2. Eleni hat kein blaues Papier bekommen, sondern weißes.
☐ 3. Eleni bekommt das richtige Papier nicht mehr heute, sondern Büroprofi liefert erst morgen.

(G)
sondern

Sie hat **kein** blaues Papier bekommen, **sondern** weißes.
Sie bekommt das Papier **nicht** heute, **sondern** Büroprofi liefert morgen.

🎧 1.28 **c** Lesen Sie die Redemittel und hören Sie noch einmal. Was sagen die Personen? Markieren Sie.

etwas reklamieren	auf Reklamationen reagieren
Sie haben leider die falsche Ware geschickt.	Sagen Sie mir bitte zuerst Ihre Kundennummer?
Ich habe … bestellt, aber Sie haben … geliefert.	Es tut mir leid, das ist unser Fehler.
Sie haben kein … geschickt, sondern …	Sie können alles kostenlos zurückschicken.
Ich möchte etwas reklamieren: …	Wir schicken Ihnen sofort die richtige Ware.
… funktioniert nicht.	Sie müssen die Rechnung nicht voll bezahlen,
… ist kaputt.	sondern sie bekommen … Prozent Rabatt.
… hat die falsche Größe / hat ein Loch.	Wir schicken Ihnen einen Techniker/Fahrer, der …
Kann ich die Ware umtauschen?	Sie bekommen das Geld zurück.

d Reklamationen – Planen und spielen Sie einen Dialog zu A, B oder zu einer anderen Reklamation.

(A) Problem: Die Wäscherei hat die falsche Wäsche geliefert.
Lösung: Der Fahrer holt die falsche Wäsche ab und bringt die richtige Wäsche.

(B) Problem: Sie haben einen neuen Monitor bestellt, aber er funktioniert nicht.
Lösung: Die Firma schickt eine Technikerin, die den Monitor repariert.

UND SIE?

Haben Sie schon einmal etwas reklamiert oder umgetauscht? Erzählen Sie.

Gestern habe ich im Restaurant eine kalte Suppe bekommen. Da habe ich …

a Lesen Sie den Brief und die Antworten. Was ist das Problem? Wie ist die Lösung?

Erste Mahnung

Sehr geehrte Damen und Herren,
anscheinend haben Sie in der Hektik des Alltags übersehen,
dass Sie unsere Rechnung vom 23. Mai noch nicht bezahlt haben.
Bitte überweisen Sie den Betrag von 70,90 € bis zum 12. Juni.

Mit freundlichen Grüßen
Waldemar Schmidt
Büroprofi Kundenservice

Von: eleni.dumitru@k&l.com

Sehr geehrter Herr Schmidt,
vielleicht erinnern Sie sich: Die Lieferung, die wir am 23. Mai von Ihnen bekommen haben,
war falsch. Am Telefon haben Sie mir Folgendes gesagt: „Das blaue Papier, das Sie bestellt
haben, schicken wir Ihnen heute noch ohne Liefergebühr. Die fünf Packungen weißes Papier,
die wir falsch geschickt haben, nehmen wir wieder mit." Die Rechnung habe ich am 25. Mai
bezahlt und das Geld überwiesen. Die Mahnung, die Sie geschickt haben, ist also falsch, oder?

Sehr geehrte Frau Dumitru,
Sie haben natürlich recht. Wir entschuldigen uns für den Fehler, den wir gemacht haben. Wir
möchten Ihnen für Ihre nächste Bestellung 5 % Rabatt anbieten.

b Lesen Sie die E-Mails noch einmal und ergänzen Sie die Tabelle. (G)

FOKUS   **Relativpronomen im Akkusativ**

Wir entschuldigen uns für den Fehler.	Wir (haben) den Fehler (gemacht).
Wir entschuldigen uns für den Fehler,	*den* wir (gemacht) (haben).
Das blaue Papier,	.... Sie bestellt haben, schicken wir heute.
Die Lieferung,	.... wir zuerst von Ihnen bekommen haben, war falsch.
Die fünf Packungen,	.... wir falsch geschickt haben, nehmen wir wieder mit.

⚠ Das Relativpronomen im Akkusativ ist wie der bestimmte Artikel im Akkusativ.
Der Relativsatz steht meistens direkt nach dem Nomen.

c Welche Wörter stehen in beiden Sätzen? Markieren Sie und schreiben Sie dann Relativsätze.

1. Die Ware ist schon da. Der Kunde hat die Ware zurückgeschickt.
2. Der Drucker ist sehr teuer. Der Chef hat den Drucker bestellt.
3. Das Paket ist zu spät angekommen. Wir haben das Paket geschickt.
4. Der Mitarbeiter war nett. Ich habe den Mitarbeiter angerufen.
5. Die Brötchen waren lecker. Die Chefin hat gestern Brötchen mitgebracht.

1. Die Ware, die der Kunde zurückge-schickt hat, ist schon da.

d Fragen und antworten Sie mit den Nomen und Verben unten.

Kundinnen / anrufen	Material / bestellen	Orangen / kaufen	Rechnung / schreiben
Kollegin / treffen	Kuchen / backen	E-Mail / schicken	Saft / mitbringen

Welche Kundinnen meinst du? >   < Die Kundinnen, die ich angerufen habe.

6 Könnten Sie bitte …?

a Sehen Sie die Bilder an. Was passiert?

 Ⓐ ☐    Ⓑ ☐    Ⓒ ☐    Ⓓ ☐

b Lesen Sie die Dialoge. Ordnen Sie die Dialoge den Bildern zu. Zu einem Bild gibt es keinen Dialog.

Dialog 1
- ● Könnten Sie mich vielleicht vorlassen, bitte? Ich habe nur das hier, und ich habe es eilig.
- ○ Das ist doch gar kein Problem! Gehen Sie vor, bitte.
- ● Danke sehr.
- ○ Keine Ursache.

Dialog 2
- ● Wer ist jetzt dran?
- ○ Ich bin dran. Ich hätte gern …
- ◐ Moment mal bitte, ich warte hier schon länger!
- ○ Tut mir leid, ich wusste nicht, dass Sie vor mir da waren.
- ◐ Kein Problem!

Dialog 3
- ● Darf's ein bisschen mehr sein?
- ○ Nein, danke, ich möchte wirklich nur ein Pfund.
- ● Hier, bitte, Ihre Mandarinen.
- ○ Würden Sie mir bitte eine andere Mandarine geben? Diese hier ist nicht gut.
- ● Entschuldigung, das habe ich nicht gesehen.

c Lesen Sie die Dialoge in 6b noch einmal und ergänzen Sie im Kasten die passenden Redemittel.

sich durchsetzen	sich entschuldigen	um etwas bitten
Moment mal bitte, ich warte hier schon länger! Ich war schon vor Ihnen da. Nein danke, ich möchte wirklich nur ein Pfund. Ich glaube, das stimmt nicht.	Das ist mir jetzt wirklich peinlich, aber …	Könnten Sie mich vielleicht vorlassen, bitte? ....

♫ 1.29 **d** Aussprache: Hören Sie. Was ist freundlich: Version a oder b?

1. Entschuldigung, ich war schon vor Ihnen da.
2. Schauen Sie mal, diese Birne hier ist aber nicht gut.
3. Ich glaube, das stimmt nicht.
4. Ich möchte wirklich nur ein Pfund.

Entschuldigung, ich war schon vor Ihnen da.

e Sprechen Sie die Sätze 1 bis 4 aus 6d freundlich.

f Spielen Sie freundliche Dialoge beim Einkaufen. Die Redemittel in 6c helfen. Wählen Sie.

Bild A, C oder D   oder   Bild B   oder   Eine eigene Situation

UND SIE?

Ihre Erlebnisse beim Einkaufen – Erzählen Sie.

> Ich war auf dem Markt und hatte nicht genug Geld dabei. Da hat der Verkäufer gesagt: …

7 Einkaufen mal anders

a Lesen Sie die Texte schnell. Welche Überschriften passen? Kreuzen Sie an.

- ☐ Verpackung kostet extra!
- ☐ Ohne Plastik geht es auch!
- ☐ Neuer Asien-Laden in der Weststadt
- ☐ Erdbeeren vom Feld im Sonderangebot!
- ☐ Direkt vom Feld: reif & lecker!
- ☐ Essen wie im fernen Osten

Drei ganz besondere Einkaufstipps

Einkaufen im Supermarkt – mal ganz ehrlich: Wird Ihnen das nicht auch ein bisschen langweilig? Deshalb lassen wir heute Menschen zu Wort kommen, bei denen Sie mal anders einkaufen können.

A
1 Wir finden es schlimm, wie viel Plastik in den Ozeanen schwimmt. Deshalb gibt es bei uns alles offen: Nudeln, Mehl,
5 Milch, … Die Kunden bringen Dosen, Tüten und Flaschen mit. So schonen wir die Umwelt. Noch ein Vorteil: Man kauft nur genau so viel, wie
10 man konsumieren kann und muss keine Reste wegwerfen.

B
1 Nur bei uns gibt es sie so frisch – von der Pflanze sofort in den Mund! Das ist Genuss pur für die ganze Familie! Hier
5 können Sie selbst ernten und dabei essen, so viel Sie wollen! Sie zahlen am Ende einen fairen Preis nach Gewicht, pro Person mindestens 500
10 Gramm. Täglich von 9 bis 19 Uhr.

C
1 Von scharf bis fruchtig, von süß bis sauer: Wir haben für jeden Geschmack etwas! Bei uns bekommen Sie schon seit drei
5 Jahren asiatische Lebensmittel in bester Qualität. Neu ist unser Mittagsimbiss: Hier können Sie chinesische Spezialitäten genießen. Wir geben Ihnen
10 auch die Rezepte und beraten Sie beim Einkauf der Zutaten!

b Wo steht das in welchem Text? Notieren Sie und vergleichen Sie.

1. Bei uns können Sie auch etwas Warmes essen. ....*Text C, Zeile 6–9*....

2. Wir meinen, es gibt zu viel Müll. ....

3. Sie und Ihre Kinder werden Ihre Freude haben! ....

4. Bei uns kann man Lebensmittel ohne Verpackung kaufen. ....

5. Wir sagen Ihnen, was Sie für die Gerichte brauchen. ....

c Kennen Sie andere besondere Einkaufsmöglichkeiten? Tauschen Sie sich aus.

> Ich habe kürzlich an der Straße einen Stand mit Marmeladen gesehen. Man konnte das Geld einfach in eine Kasse legen. Ich habe ein Glas mitgenommen, die Marmelade ist sehr lecker!

VORHANG AUF

Wählen Sie eine Situation. Planen und spielen Sie Dialoge.

ÜBUNGEN

1 Wir brauchen noch ...

🎧 1.30 **a** Hören Sie. Welche Reaktion passt? Kreuzen Sie an: ⓐ oder ⓑ?

Wir haben schon wieder keine Milch mehr!

1. ☒ Ich hole schnell welche im Supermarkt.   ⓑ Ja, das finde ich auch.
2. ⓐ Der war nicht teuer!   ⓑ Beim Bäcker gleich um die Ecke.
3. ⓐ Bleistifte finde ich besser.   ⓑ Klar, das erledige ich gleich.
4. ⓐ Ich habe die Firma schon angerufen.   ⓑ Heute noch.
5. ⓐ Morgen ist Feiertag und ich muss noch einkaufen. ⓑ Ich habe heute viel Zeit.
6. ⓐ Okay, aber dann beeil dich!   ⓑ Das geht jetzt nicht!

🎧 1.31 **b** Hören Sie noch einmal und sprechen Sie die passende Reaktion.

c Was kaufen Sie meistens wo? Schreiben Sie die Wörter in die Tabelle und ergänzen Sie den Artikel und wo möglich den Plural.

Salat   Brötchen   Waschmaschine   ~~Fisch~~   Lampe   Taschentuch   Pilz   Brezel
Brot   Rose   Drucker   Schokolade   USB-Stick   Kaffee   Kuchen
Mineralwasser   Torte   Nudel   DVD   Banane   Salz   Tomatensoße
Apfel   Sahne   Butter   Öl   Marmelade   Kamera   Fleisch   Blume

im Supermarkt	auf dem Markt	in der Bäckerei	im Technikmarkt
der Fisch, die Fische			

P **2 Ich mache es meistens so.**

Lesen Sie die Texte 1 bis 7. Wählen Sie: Ist die Person *für Ladenöffnungszeiten nach 19 Uhr*?

In einer Zeitung lesen Sie Kommentare zu einem Artikel über Ladenöffnungszeiten.

Beispiel			1 Navid	Ja	Nein	5 Darina	Ja	Nein
0 Maria	Ja	~~Nein~~	2 Max	Ja	Nein	6 Annette	Ja	Nein
			3 Svenja	Ja	Nein	7 Martin	Ja	Nein
			4 Helmut	Ja	Nein			

Leserbriefe

Beispiel Läden, die rund um die Uhr geöffnet sind, brauchen wir nicht, oder? Früher gab es das nicht, und wir sind auch nicht verhungert. Klar, manchmal ärgere ich mich auch, wenn ich spätabends Lust auf Schokolade habe und keine im Haus ist. Da wäre ein offener Laden schon schön. Aber dann warte ich halt mal ein bisschen, das schadet auch nichts!
Maria, 56, Linz

1 Ich finde es schon gut, wenn ich nicht abends schnell aus dem Büro zum Bäcker rennen muss, damit ich noch ein Brot fürs Abendessen bekomme. Seit die Läden länger offen sind, kann ich ganz entspannt auf dem Weg nach Hause im Supermarkt einkaufen, das finde ich toll! Aber die Verkäuferinnen, die immer bis spätabends arbeiten müssen, die tun mir schon manchmal leid.
Navid, 34, Gelsenkirchen

2 Was ist der Vorteil, wenn Geschäfte nachts um zwölf noch offen sind? Man kann doch seine Einkäufe auch ein bisschen planen! Außerdem – wenn mir mal was fehlt und die Läden schon zu sind, dann frage ich einfach meine Nachbarin! Natürlich ist es viel bequemer, wenn man immer einkaufen kann. Ich kenne viele Leute, die das ganz wichtig finden, aber ich persönlich finde das unnötig.
Max, 29, Chur

3 Ich bin Verkäuferin, und privat gehe ich spätabends nur einkaufen, wenn ich etwas dringend brauche. Aber für mich sind die langen Öffnungszeiten jetzt sehr praktisch. Ich habe ein Baby und kann abends in Ruhe arbeiten gehen, weil mein Mann dann zu Hause ist. Später will ich aber vormittags arbeiten, damit ich abends mehr Zeit für die Familie habe.
Svenja, 27, Magdeburg

4 Man kann doch abends notfalls an Tankstellen etwas zu essen kaufen. Deshalb finde ich, dass Öffnungszeiten von 9 bis 19 Uhr lang genug sind. Wenn man unter der Woche viel arbeitet, muss man eben am Samstag den Großeinkauf machen, das habe ich früher auch immer so gemacht. Man muss doch an die Verkäuferinnen und Verkäufer denken, die wollen auch mal Feierabend haben!
Helmut, 72, Würzburg

5 Ich bin ein spontaner Typ. Manchmal bekomme ich abends um zehn Lust, etwas zu kochen. Dann wäre es einfach blöd, wenn ich nicht einkaufen könnte. Und ich will nicht immer schon ein paar Tage vorher planen, was ich esse. Die Läden müssen ja nicht rund um die Uhr offen sein, aber dass ich bis Mitternacht im Supermarkt einkaufen kann, das finde ich schon gut.
Darina, 19, Köln

6 Natürlich ist es bequem, immer einkaufen zu können, das geht mir selbst auch so. Aber es gibt ein Argument, das ich wichtiger finde: Die kleinen Läden haben bei langen Öffnungszeiten keine Chance mehr gegen die großen Supermärkte, weil sie nicht so viele Leute bezahlen können. Und ich finde es einfach nicht gut, wenn so viele kleine Läden schließen müssen!
Annette, 33, Basel

7 Bei uns auf dem Land schließen die Läden um 18 Uhr. Unsere drei kleinen Kinder will ich aber nicht zum Einkaufen mitnehmen. Wenn meine Frau abends zu Hause ist, fahre ich in den großen Supermarkt in der Stadt. Das kostet aber Zeit und Geld. Am Sonntag können die Läden ruhig zu bleiben, aber unter der Woche wünsche ich mir hier längere Öffnungszeiten.
Martin, 39, Andreasberg

3 Kommst du mit auf den Markt?

a Was passt zusammen? Verbinden Sie. Markieren Sie dann: Welche Sätze drücken Vorteile (+) aus, welche Nachteile (−)?

1. ⊞ Ein Vorteil vom Markt ist, dass ...
2. ☐ Am Supermarkt gefällt mir, ...
3. ☐ Ein Nachteil vom Markt ist, dass ...
4. ☐ Beim Online-Einkauf finde ich es nicht gut, dass ...
5. ☐ Es ist schön, auf den Markt zu gehen, ...
6. ☐ Für das Online-Einkaufen spricht, ...
7. ☐ Außerdem ist es online manchmal billiger ...

a) weil man dort ganz frische Waren bekommt.
b) man keine Beratung bekommt.
c) als im Supermarkt.
d) man dort oft etwas probieren kann.
e) dass man keine schweren Taschen tragen muss.
f) es dort oft teurer ist als im Supermarkt.
g) dass ich dort in einem Geschäft alles finde, was ich brauche.

b Ergänzen Sie die Reflexivpronomen im Akkusativ.

● Komm, wir müssen (1) _uns_ beeilen! Die Läden machen gleich zu! Und wir haben heute Abend zehn Gäste!

○ Freust du (2) .... auch schon so auf unsere Party?

● Ja, klar! Hoffentlich kann Carlos heute kommen, er hat (3) .... gestern nicht gut gefühlt.

○ Das hoffe ich auch! Wenn er da ist, langweilt (4) .... bestimmt niemand! Er ist so lustig!

● Aber jetzt sei bitte einen Moment ruhig! Ich muss (5) .... konzentrieren, ich muss noch die Einkaufsliste fertig schreiben.

dich • sich • mich • ~~uns~~ • sich

c Dativ oder Akkusativ? Markieren Sie die passenden Reflexivpronomen.

1. Ich habe mich/mir lang überlegt, was ich kochen soll, und konnte mich/mir nicht entscheiden.

2. Mama, ich langweile mich/mir so! Wann bekomme ich endlich ein neues Handy?

3. Ich unterhalte mich/mir gerne mit Jugendlichen. Ich will einfach wissen, was sie interessiert.

4. Siehst du dich/dir auch so gerne Filme an?

5. Ja, aber manchmal ärgere ich mich/mir über die Kinopreise.

d Dativ oder Akkusativ? Ergänzen Sie die Reflexivpronomen.

dich   dir   euch   ~~mich~~   mir   uns   uns

● Ich koche gerne Gerichte aus Asien. Zuerst suche ich ein Rezept im Internet, dann entscheide ich

(1) _mich_ , was ich kochen will. Danach überlege ich

(2) .... , wo ich alles einkaufe. Ich kaufe gerne in

kleinen Läden ein. Der Vorteil ist, dass du (3) .... dort die Waren direkt ansehen kannst.

Außerdem kannst du (4) .... mit den Verkäufern unterhalten.

○ Wir kochen auch gerne asiatisch. Aber wir entscheiden (5) .... oft spontan, was wir kochen.

● Ärgert ihr (6) .... dann nicht, wenn ihr mal nicht alles da habt, was ihr braucht?

○ Na ja, ein bisschen ärgern wir (7) .... schon, aber dann kochen wir etwas anderes.

> Merken Sie sich die Verben ☺
> mit Reflexivpronomen mit einem
> Satz mit *ich*:
> *Ich entscheide mich.*
> *Ich überlege mir das noch.*

4 Am Telefon reklamieren

a Welches Verb passt nicht? Streichen Sie es durch.

1. eine Bestellung   bestätigen • ~~einkaufen~~ • unterschreiben

2. ein Paket   liefern • zurückschicken • arbeiten

3. die Rechnung   bezahlen • schreiben • fragen

4. einen Rabatt   geben • bekommen • schicken

5. Geld   schreiben • zurückbekommen • überweisen

6. einen Techniker   schicken • fragen • liefern

b Schreiben Sie Sätze mit *sondern* wie im Beispiel.

| Termin – sein (Präteritum) – 15 Uhr – 14 Uhr | Firma – liefern (Perfekt) – Orangen – Äpfel | er – gehen (Perfekt) – auf den Markt – in den Supermarkt | in dem Kuchen – sein (Präteritum) – Zucker – Salz | sie – anrufen (Präsens) – eine E-Mail schreiben (Präsens) |

1. Der Termin war nicht um 15 Uhr, sondern um 14 Uhr.

c Eine Reklamation – Schreiben Sie den Dialog.

- ● was / ich / können / tun / für Sie / ?
- ○ gestern / ich / kaufen (Perfekt) / diese Hose / .
  ein Loch / haben / aber / die Hose / hier / !
- ● das leidtun / mir / ! // kein Problem / sein / das / aber / .
  wir / nähen lassen / das / . // unser Nähservice / ganz schnell / arbeiten / .
  natürlich / nichts kosten / für Sie / das / .
- ○ die Hose / ich / brauchen / aber schon heute Abend / !
- ● das / wir / schaffen / . // die Hose / können / heute um 18 Uhr / Sie / abholen / .
- ○ Gut, // bis später / dann / !

• Was kann ich für Sie tun?

5 Die Mahnung

a *Den*, *das* oder *die*? Ergänzen Sie die Relativpronomen im Akkusativ.

1. Wir entschuldigen uns für die Probleme, ...*die*.... Sie mit dem Drucker hatten.

2. Das Paket, ... Sie uns zurückgeschickt haben, ist heute bei uns angekommen.

3. Den neuen Drucker, ... wir Ihnen heute schicken, haben wir extra noch einmal kontrolliert.

4. Mit dem Service, ... wir anbieten, sind unsere Kunden immer sehr zufrieden.

5. Die Technikerin, ... Sie sprechen wollen, ist im Moment nicht im Haus.

b Schreiben Sie die Relativsätze im Perfekt ins Heft. Markieren Sie die Verben wie im Beispiel.

1. Mir schmeckt der Kuchen, … du / backen / .
2. Ist das der Wein, … du / für die Party / bestellen / ?
3. Gib mir bitte die Kekse, … ich / gestern / kaufen / !
4. Wo ist der Saft, … wir / für die Kinder / mitbringen / ?
5. Wann kommt der neue Kollege, … / ihr / einladen / ?
6. Wo ist das Kleid, … ich / gestern / waschen / ?

> *1. Mir schmeckt der Kuchen,*
> *den du gebacken hast.*

c Ordnen Sie die Texte und schreiben Sie sie ins Heft.

Text 1

.... Gudrun Weiler
Kundenservice

.... Bitte überweisen Sie uns das Geld

.... so schnell wie möglich. Vielen Dank!

.... nicht auf unserem Konto eingegangen.

_1_ Sehr geehrter Herr Bielka,

.... Rechnung vom 12.3. noch

.... Mit freundlichen Grüßen

.... leider ist der Betrag von 103,54 € für unsere

Text 2

.... erst heute habe ich gemerkt, dass ich

.... Mit freundlichen Grüßen
K. Bielka

.... habe den Betrag gerade auf Ihr richtiges
Konto überwiesen.

.... Sehr geehrte Frau Weiler,

.... bei der ersten Überweisung leider eine
falsche IBAN verwendet habe. Ich

d Schreiben Sie mit den folgenden Stichwörtern einen Text. Text 2 in 5c hilft.

Entschuldigung   Überweisung vergessen   Geld gerade überwiesen   Danke für Ihr Verständnis

6 Könnten Sie bitte …?

🎧 1.32   **a** Ergänzen Sie die Dialoge und hören Sie zur Kontrolle.

Dialog 1

● Wer kommt jetzt dran, bitte?
○ Ich glaube, ich bin dran. Ich hätte gerne …
◐ 1. _d_
○ Oh, das tut mir leid, das habe ich nicht gesehen!
Aber könnten Sie mich vielleicht vorlassen? Ich
brauche nur ein paar Bananen.
◐ 2. ☐
○ Vielen Dank, das ist sehr nett!
◐ 3. ☐

Dialog 2

● Schauen Sie mal, hier steht, dass dieser Joghurt
bis zum 12. April gut ist. Und heute haben wir den
13. April.
○ 4. ☐
● Genau diesen Joghurt gibt es aber nicht mehr, und
mein Sohn will immer unbedingt diesen!
○ 5. ☐
● Ja, gerne, danke!

b) Keine Ursache!   c) Na gut, wenn Sie es so eilig haben …

~~d) Entschuldigung, ich war vor Ihnen da!~~

a) Oh, stimmt, Sie haben recht. Das habe ich übersehen. Dann holen Sie sich doch bitte einfach einen
anderen aus dem Kühlregal.

e) Gut, dann nehmen Sie den Joghurt mit. Ich darf ihn sowieso nicht verkaufen.

 Hilfe? – Hören Sie zuerst und ergänzen Sie dann.

b Aussprache: *h*. Hören Sie und sprechen Sie nach: zuerst die Wörter mit grünem *h* einzeln und dann die ganzen Sätze. 🎵 1.33 🔁

habe • heute • Hunger • Gasthaus • Bahnhof • abholen

Ich habe heute ganz viel Hunger und wir haben nichts mehr hier zu Hause!
Wir können heiße Hähnchen hier im Gasthaus am Bahnhof abholen.
Herr Heinze, mein Lebensmittelhändler, holt den Honig direkt vom Hof.

> Sie sprechen h am Wortanfang und am Silbenanfang: habe, heute, Hunger, Gasthaus, Bahnhof, abholen 😊

7 Einkaufen mal anders

🎧 1.34 **Birgits Müsliladen – Hören Sie und kreuzen Sie an: richtig oder falsch?**

	R	F
1. In Birgits Laden gibt es auch fertig gemischte Müslis.	☒	☐
2. Birgit wollte immer schon einen Laden haben.	☐	☐
3. Der Müsliladen ist ihre eigene Idee.	☐	☐
4. Birgit verdient mit dem Laden genug.	☐	☐
5. Bald möchte sie auch online Müsli verkaufen.	☐	☐

WORTBILDUNG: zusammengesetzte Wörter (Komposita I)

Schreiben Sie die Wörter mit Artikel wie in den Beispielen. Kombinieren Sie dann.

das Bür̲o + der Stuhl = *der Bürostuhl* ....

das Bür̲o + das Papier = ...

das Bür̲o + die Pflanze = ...

.... Ha̲us + ... Schlüssel = ...

.... Ha̲us + ... Katze = ...

.... Ha̲us + ... Frau = ...

li̲efern + die Gebühr = ...

li̲efern + der Termin = ...

li̲efern + der Service = ...

wo̲hnen + ... Ort = ...

wo̲hnen + ... Gemeinschaft = ...

wo̲hnen + ... Zimmer = ...

RICHTIG SCHREIBEN: Komma vor und nach Relativsätzen

Ergänzen Sie die vier Kommas, die im Text fehlen.

> **„Tipps rund ums Wohnen"**
>
> Der Möbel-Lieferservice, den ich euch hier empfehle, ist wirklich gut. Das Regal das ich bestellt habe, war sehr günstig. Das kleine Problem, das ich beim Aufbauen hatte konnte ich schnell lösen. Der Mitarbeiter den ich angerufen habe hat mir alles genau erklärt.

> Vor Relativsätzen steht immer ein Komma. Wenn der Relativsatz im Hauptsatz steht, steht auch nach dem Relativsatz ein Komma. 😊

Mein Deutsch nach Kapitel 2

Das kann ich:

über Einkaufsgewohnheiten sprechen

| Online | | Markt | | Supermarkt | | ... |

Fragen und antworten Sie.

- ● Wo kaufst du Gemüse ein?
- ○ Ich ..., und du?
- ● Ich ...

Vorteile und Nachteile ausdrücken

Supermarkt

Online-Service

kleines Geschäft um die Ecke

Markt

Notieren Sie je einen Vorteil und einen Nachteil. Die Stichwörter helfen.

Zeit?   Preis?   Qualität?   Beratung?   Kontakt?

Auf dem Markt gefällt mir, dass ich mit den Händlern reden kann. Aber ... Im Supermarkt finde ich gut, dass ...

etwas reklamieren und auf Reklamationen reagieren

Sprechen Sie.

- ● Guten Tag, mein Name ist ...
  Sie haben mir gestern einen Kühlschrank geliefert, aber der funktioniert überhaupt nicht!
- ○ Bitte ...

Gespräche beim Einkaufen führen

Ergänzen Sie den Minidialog. Sprechen Sie dann zu zweit.

länger   dran   stimmt   Ihnen   wenig

- ● Entschuldigen Sie bitte, ich war vor .... da!
- ○ Nein, das .... nicht, ich bin jetzt

  ...., ich warte hier schon viel ....

  Und ich brauche auch nur ganz ....
- ● Na gut.

www → B1/K2

Das kenne ich:

(G)

Reflexivpronomen im Akkusativ und im Dativ

	Akkusativ	Dativ
ich	mich	mir
du	dich	dir
er/es/sie	sich	sich
wir	uns	uns
ihr	euch	euch
sie/Sie	sich	sich

sondern

Sie hat kein blaues Papier bekommen, sondern weißes.
Sie bekommt das Papier nicht heute, sondern Büroprofi liefert morgen.

Relativpronomen im Akkusativ

den	Entschuldigen Sie den Fehler,	**den** wir (gemacht) (haben).
das	Das ist das blaue Papier,	**das** Sie (haben) (möchten).
die	Die Ware,	**die** ich in der Packung (sehe), habe ich nicht bestellt.
die	Die fünf Packungen,	**die** wir falsch (geschickt) (haben), nehmen wir wieder mit.

[G]

HALTESTELLE

1 Beruf – Verkäuferin im Supermarkt

a Im Supermarkt arbeiten – Ordnen Sie den Text.

.....*1*..... Ich möchte nicht Vollzeit arbeiten, weil meine
Kinder noch klein sind. Deshalb arbeite ich
25 Stunden pro Woche als Verkäuferin.

.... Jetzt bediene ich manchmal auch an der Wurst- und
Käsetheke. Das mache ich viel lieber. Da kann man
auch ein bisschen mit den Kunden sprechen und
sie etwas kennenlernen.

.... Als Nächstes habe ich angefangen, an der Kasse
zu arbeiten. Aber das mache ich nicht so gern, da
muss man immer so genau auf das Geld achten.

.... Sie macht den Dienstplan. Ich arbeite vormittags und meistens den ganzen Samstag.

.... Ich bin in einem kleinen Supermarkt in meinem Stadtteil angestellt. Wir sind insgesamt acht
Verkäuferinnen, aber nie arbeiten alle gleichzeitig. Die Kolleginnen sind nett, die Filialleiterin auch.

.... Zuerst habe ich nur Waren in die Regale geräumt. Da habe ich nur mit Kunden gesprochen, wenn sie
ein Problem hatten. „Wo finde ich das oder das?" war die häufigste Frage.

b Verkäuferin im Supermarkt – Was finden Sie gut?
Was finden Sie schlecht? Notieren Sie zwei Vorteile
und zwei Nachteile. Vergleichen Sie dann mit
Ihrem Partner / Ihrer Partnerin.

> *+ kann am Arbeitsplatz einkaufen*
> *− muss die Käsetheke putzen*

c Berufe raten – Denken Sie sich einen Beruf aus. Notieren Sie je zwei Vorteile und zwei Nachteile. Nennen
Sie den Beruf nicht. Die anderen raten.

2 Sprechtraining

a Minidialoge – Was passt zusammen? Verbinden Sie.

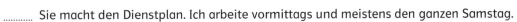

1. Kann ich Ihnen helfen? Die Tasche ist
bestimmt sehr schwer.
2. Das stimmt so nicht. Da fehlt ein Euro.
3. Es geht nicht, dass Sie Ihr Auto hier
parken.
4. Ich möchte mich entschuldigen, dass es
gestern Nacht ziemlich laut war.
5. Ist das Ihr Schlüssel? Den habe ich im
Keller gefunden.
6. Entschuldigung, ich war schon vor
Ihnen da.

a) Ja, da bin ich aber froh. Vielen Dank. Ich
habe ihn schon überall gesucht.
b) Das ist aber nett von Ihnen. Danke!
c) Ich habe nichts gemerkt. Ich habe gut
geschlafen.
d) Ich habe nicht gesehen, dass Sie schon vor
mir da waren. Tut mir leid.
e) Oh, das tut mir leid. Hier ist noch ein Euro
für Sie. Entschuldigen Sie bitte.
f) Tut mir leid. Das habe ich nicht gewusst.
Ich fahre gleich weg.

b 🎧 1.35 Hören Sie zur Kontrolle. Sprechen Sie alle Satzpaare zu zweit. Wiederholen Sie mit vertauschten Rollen.

c Formulieren Sie zu drei Situationen aus 2a andere Reaktionen. Spielen Sie die Gespräche.

> Kann ich Ihnen helfen? Die Tasche
> ist bestimmt sehr schwer.

> Danke, das ist nicht nötig.
> Die Tasche sieht nur so schwer aus.

3 Spielen und wiederholen

Stationen eines Tages. Ein Spiel für vier Personen.

1. Jeder Spieler hat eine Spielfigur. Starten Sie auf dem Feld „Start".

2. Werfen Sie eine Münze. Gehen Sie bei „Zahl" 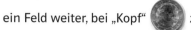 ein Feld weiter, bei „Kopf" zwei Felder weiter.

3. Wählen Sie einen Mitspieler / eine Mitspielerin und spielen Sie mit ihm/ihr die Situation.

4. Sind Sie zuerst am Ziel? Sie haben gewonnen!

---

1 START

2
Sie gehen am Morgen zur Arbeit und treffen jemanden aus dem Haus. Sprechen Sie kurz mit ihm.

3
Sie erwarten ein Paket, sind heute aber nicht zu Hause. Bitten Sie eine Nachbarin, das Paket anzunehmen.

6
Das Internet funktioniert nicht. Fragen Sie Ihren Nachbarn, ob er Ihnen helfen kann.

5
Sie kommen vom Einkaufen, eine Flasche fällt auf den Boden und zerbricht. Pause zum Putzen – einmal aussetzen.

4
Ihr Nachbar geht zur Bäckerei und kauft für das Frühstück ein. Bitten Sie ihn, Ihnen etwas mitzubringen.

7
Ihre Waschmaschine ist kaputt. Sie haben noch Garantie. Rufen Sie beim Kundendienst an.

8
Online einkaufen. Was finden Sie gut, was nicht? Sprechen Sie zu zweit.

9
Sie kaufen im Supermarkt ein. Die Person vor Ihnen lässt Sie an der Kasse vorgehen.

Werfen Sie noch einmal die Münze.

12
Das Fahrrad der Nachbarin steht vor der Wohnungstür und blockiert den Flur. Sprechen Sie mit ihr.

11
Sie haben 1 Kilo Orangen gekauft, aber zwei Orangen sind schlecht. Sprechen Sie mit der Verkäuferin.

10
Jemand drängt sich an der Kasse vor, aber Sie sind dran. Sagen Sie das der Person höflich.

13
Sie möchten in Ihrer Wohnung eine Party machen und informieren Ihre Nachbarn.

14
Das Licht im Treppenhaus funktioniert nicht. Rufen Sie den Hausmeister an.

15 ZIEL
Feierabend: Sie sind in Ihrer Wohnung. Alles ist gut.

TESTTRAINING

Die Testtrainings A bis H bereiten auf diese Prüfungen vor: P DTZ Deutsch-Test für Zuwanderer, P telc telc Deutsch B1 und P Goethe/ÖSD Goethe-/ÖSD-Zertifikat B1.
In allen drei Prüfungen gibt es die Teile *Hören*, *Lesen*, *Schreiben* und *Sprechen*.
In telc Deutsch B1 gibt es außerdem noch den Teil *Sprachbausteine*.

In den Testtrainings A bis H und in den Übungsteilen von Kapitel 1 bis 16 üben Sie alle Aufgaben aus den Prüfungen. Eine Übersicht finden Sie auf Seite XXIV.

Unter www.klett-sprachen.de/tests, www.telc.net, www.goethe.de und www.osd.at finden Sie komplette Modelltests.

P DTZ **1 Hören – Ansagen aus dem Radio und am Telefon**

> → Sie wissen die Antwort sicher? Dann kreuzen Sie diese Antwort gleich an.
>
> → Sie sind sicher, welche Antwort falsch ist? Streichen Sie diese Antwort gleich durch.
>
> → Sie wissen eine Antwort nicht sicher? Kreuzen Sie auch dann etwas an. Es gibt keine Minuspunkte für falsche Antworten.
>
> → Es gibt oft Aufgaben zu den Themen *Wetter* und *Verkehr*. Wiederholen Sie den Wortschatz zu diesen Themen.
>
> → Hören Sie Radio auf Deutsch. Auf www.dw.com gibt es zum Beispiel langsam gesprochene Nachrichten zum Mitlesen.

So sieht die Aufgabe in der Prüfung aus:

🎧 1.36 **Sie hören fünf Ansagen. Zu jeder Ansage gibt es eine Aufgabe. Welche Lösung (a, b oder c) passt am besten?**

INFO: Im DTZ gibt es in *Hören Teil 1* vier Aufgaben zu Ansagen am Telefon und öffentlichen Durchsagen, in *Hören Teil 2* gibt es fünf Aufgaben zu kurzen Informationen in den Medien. Hier trainieren Sie die beiden Teile zusammen.

Beispiel

0 Sie hören …
 a den Wetterbericht.
 b die Verkehrsmeldungen.
 ✗ eine Kultursendung.

1 Fußgänger sind …
 a auf der A1.
 b auf der A7.
 c auf der A23.

2 Wie wird das Wetter übermorgen?
 a Es bleibt warm.
 b Es regnet.
 c Es wird kalt.

3 Frau Köhnlein will arbeiten. Was muss sie machen?
 a Bei der Zeitarbeitsfirma anrufen.
 b Morgen direkt in die Praxis gehen.
 c Morgen zu Frau Behrens ins Büro gehen.

4 Sie sind in der S-Bahn und wollen zum Bundesplatz. Was müssen Sie tun?
 a Am Heidelberger Platz den Bus nehmen.
 b Am Heidelberger Platz eine andere S-Bahn nehmen.
 c In dieser S-Bahn bis zum Bundesplatz fahren.

5 Was soll Herr Lehmeier tun?
 a Die Schneiderei anrufen.
 b In die Schneiderei gehen.
 c Seine Hose abholen.

2 Schreiben – Mitteilungen

So sieht die Aufgabe in der Prüfung aus:
Wählen Sie Aufgabe A oder Aufgabe B.
Zeigen Sie, was Sie können. Schreiben Sie möglichst viel.

Aufgabe A
Sie haben vor drei Monaten bei der
Firma Mediaplus ein Handy gekauft. Es
funktioniert jetzt nicht mehr. Sie haben bei
der Firma telefonisch niemanden erreicht
und schreiben deshalb eine E-Mail.

Schreiben Sie etwas über folgende Punkte.
Vergessen Sie nicht die Anrede und den Gruß.

• Grund für Ihr Schreiben
• Garantie
• Reparatur oder neues Handy
• wie Sie erreichbar sind

Aufgabe B
Der Hausmeisterdienst Tipptopp hat in Ihrem Haus
einen Zettel aufgehängt, dass er einen Hausmeister
sucht, der sich auch um den Garten kümmert.
Sie suchen Arbeit und schreiben deshalb an
Frau Bechtle von Tipptopp einen Brief.

Schreiben Sie etwas über folgende Punkte.
Vergessen Sie nicht die Anrede und den Gruß.

• Grund für Ihr Schreiben
• Ihre Qualifikationen
• mögliche Arbeitszeiten
• Bewerbungsgespräch

→ Wählen Sie schnell: Welche Aufgabe ist leichter für Sie?
→ Trainieren Sie Anrede- und Grußformeln von formellen Briefen. Sie sind immer gleich.
→ Schreiben Sie in der Prüfung Ihren Text direkt auf den Antwortbogen.
→ Kontrollieren Sie nach dem Schreiben: Haben Sie zu allen Punkten etwas geschrieben?
→ Korrigieren Sie am Ende Ihren Brief. Achten Sie auf Verbposition, Endungen und Rechtschreibung.

So können Sie üben:

a **Lesen Sie die Briefe 1 und 2. Zu welchen Aufgaben oben passen sie? Ordnen Sie zu. Vergleichen Sie dann:**
Was haben Sie zu den einzelnen Punkten geschrieben?

Brief 1

> Sehr geehrte Frau Bechtle,
>
> ich habe bei uns im Haus Ihren Zettel gesehen
> und möchte mich gerne bei Ihnen als Mitarbeiter
> bewerben. Ich komme aus Polen. Dort habe ich
> eine Ausbildung als Elektriker gemacht. Hier in
> Deutschland habe ich dann zehn Jahre auf dem
> Bau gearbeitet. Außerdem hatte ich früher selbst
> einen Garten und habe dort immer sehr gerne
> gearbeitet. Ich kann ganz flexibel für Sie arbeiten
> und freue mich, wenn Sie mich bald zu einem
> Bewerbungsgespräch einladen.
>
> Mit freundlichen Grüßen
> Kamil Grabowski

Brief 2

> Sehr geehrte Damen und Herren,
>
> ich habe vor drei Monaten bei Ihnen ein Handy
> gekauft, das jetzt leider kaputt ist. Der Ton
> funktioniert nicht mehr.
> Das Gerät hat noch Garantie. Deshalb bitte ich
> Sie, das Handy zu reparieren oder mir so schnell
> wie möglich ein neues Handy zu schicken.
> Sie erreichen mich unter der E-Mail-Adresse
> samira-c.@mobilia.com oder unter der
> Handynummer 0177 43 58 95.
>
> Mit freundlichen Grüßen
> Samira Bin Al-Saud

b **Lesen Sie die Aufgabe und markieren Sie in Brief 2 in Aufgabe 2a alle Ausdrücke, die Sie für die Aufgabe**
verwenden können. Schreiben Sie dann die E-Mail.

Sie haben vor vier Wochen bei der Firma Elektroprofi eine Spülmaschine gekauft. Sie funktioniert jetzt
schon nicht mehr. Sie haben dort telefonisch niemanden erreicht und schreiben deshalb eine E-Mail.
Schreiben Sie etwas über folgende Punkte:

• Grund für Ihr Schreiben
• Garantie
• Reparatur oder neues Gerät
• wie Sie erreichbar sind

Wir sind für Sie da.

1 Die kaputte Vase

a Frau Haffner und Jan besuchen Herrn Moreno. Sehen Sie das Bild an. Vermuten Sie: Was ist passiert?
Wie würden Sie das Problem lösen?

> Vermutlich hat Jan …

> Ich glaube, Herr Moreno möchte …

> Ich finde, Frau Haffner sollte …

b Spielen Sie das Gespräch zwischen Herrn Moreno und Frau Haffner. Die Stichpunkte helfen Ihnen.

leidtun   mit einem Fußball spielen   teuer sein   besser aufpassen   traurig sein

eine neue Vase kaufen   nicht wieder passieren   der Versicherung melden

🎧 1.37 **c** Hören Sie das Gespräch. Was ist richtig? Kreuzen Sie an.

1. Frau Haffner möchte eine neue Vase kaufen. ☐
2. Die Versicherung von Frau Haffner
   bezahlt den Schaden. ☐
3. Jan muss die Vase selbst bezahlen. ☐
4. Herr Moreno hat die Rechnung noch. ☐
5. Herr Moreno soll den Schaden melden. ☐

d Ist Ihnen schon etwas Ähnliches passiert? Erzählen Sie.

> Eine Freundin hat einmal bei uns gekocht. Als sie …

Sprechen sich über Versicherungen informieren; über Erfahrungen mit Versicherungen und Banken sprechen;
Sperrnotruf anrufen | **Hören** Gespräch zwischen Nachbarn; Mailbox-Nachricht; Beratungsgespräch; Bankangebote |
Schreiben E-Mail über Erfahrungen in Deutschland | **Lesen** Brief über Versicherungsfall; Texte über Versicherungen;
Infotext über EC-Karte; Text über Verbraucherzentrale | **Beruf** ein Beratungsgespräch führen

2 Welche Versicherung hilft?

a Lesen Sie die E-Mail von Frau Haffner und ordnen Sie die Bilder.

Hallo Mama,
zum Glück hast du mir damals eine Haftpflichtversicherung empfohlen – letzte Woche
habe ich sie wirklich gebraucht! Jan hat bei
unserem neuen Nachbarn eine Vase kaputt
gemacht. Ich habe dann gleich Fotos mit dem
Handy gemacht und meiner Versicherung den
Schaden online gemeldet. Nach zwei Tagen
habe ich eine E-Mail bekommen, dass sie
die Quittung brauchen. Die hat mir unser
Nachbar gleich gegeben, ich habe sie dann
gescannt und eine Datei mit den Fotos
gesendet. Jetzt erstattet die Versicherung die
Kosten für die Vase komplett. Herrn Moreno
habe ich dann einen Kuchen und Unterlagen
von meiner Versicherung gebracht. Er hat vor,
hier in Deutschland eine Versicherung abzuschließen. Komm uns doch bald besuchen.
Liebe Grüße
Susanne

b Was wissen Sie über diese Versicherungen? Sammeln Sie im Kurs.

Rechtsschutzversicherung   KFZ-Versicherung   Unfallversicherung

Haftpflichtversicherung   Hausratversicherung   Krankenversicherung

c Herr Moreno informiert sich. Lesen Sie die Beschreibungen. Welche Versicherung aus 2b passt?

A
Diese Versicherung bietet Ihnen einen kostenlosen Anwalt-Service, d. h. ein Anwalt unterstützt Sie bei einem Rechtsstreit und auch bei einem Gerichtsprozess. Und was kostet Sie dieser Schutz? Zwischen 50 und 150 Euro jährlich, das ist abhängig von verschiedenen Faktoren.

B
Unsere Versicherung über-nimmt die Kosten z. B. bei einem Wasserschaden in Ihrer Wohnung oder bei Einbrüchen. Wir kümmern uns um Ihren Schaden und beraten Sie indivi-duell. Der Jahresbeitrag ist sehr günstig. Für eine Wohnung mit einer Fläche von 65 m² zahlen Sie ca. 100 Euro pro Jahr.

C
Es kann immer etwas passieren – und dann hilft Ihnen diese Versicherung. Wir erstatten sämtliche Kosten, wenn Sie aus Versehen etwas beschädigen, kaputt machen oder jemand an-derem einen Schaden zufügen. Das kostet für eine Familie 55,– € im Jahr, für eine Person nur 35,– €. Haustiere sind auch versichert.

....

d Welche Versicherung aus 2c brauchen Sie für diese Situationen? Notieren Sie und vergleichen Sie.

1. Im Hotel hatten Sie kein warmes Wasser und wollen einen Teil von Ihrem Geld zurück.   ....

2. Ihre Waschmaschine ist nicht dicht. Das Wasser läuft auch in die Nachbarwohnung.   ....

3. Ein Handwerker hat bei Ihnen ein Fenster kaputt gemacht und zahlt nicht dafür.   ....

4. Ein Einbrecher stiehlt aus Ihrer Wohnung Schmuck und teure Elektrogeräte.   ....

5. Ihre Katze ist bei den Nachbarn und macht dort das Sofa kaputt.   ....

3 Die Versicherungsvertreterin

🎧 1.38 **a** Hören Sie die Nachricht auf der Mobilbox von Herrn Moreno. Kreuzen Sie die richtige Antwort an.

1. Frau Weiß verschiebt den Termin. | Richtig | Falsch |

2. Herr Moreno soll Frau Weiß anrufen, weil sie …
   - (a) seine Kontodaten braucht.
   - (b) das Treffen vorbereiten möchte.
   - (c) noch Fragen zur kaputten Vase hat.

b Welche Fragen finden Sie wichtig, bevor Sie einen Vertrag für eine Haftpflichtversicherung abschließen? Notieren Sie und vergleichen Sie mit Ihrem Partner / Ihrer Partnerin.

1. .... Wie teuer ist die Versicherung?
2. .... Hat man auch Anspruch auf Zahlung, wenn die eigenen Kinder etwas kaputt machen?
3. .... Gibt es eine Selbstbeteiligung? Das heißt: Muss man einen Teil selbst bezahlen?
4. .... Wann kann man kündigen?
5. .... Wie schnell muss man einen Schaden melden?
6. .... Für welche Schäden zahlt die Versicherung nicht?
7. .... Wie schnell bearbeitet die Versicherung einen Schadensfall?
8. .... Wie hoch ist die Versicherungssumme?

> Also, ich finde es sehr wichtig, wie teuer die Versicherung ist. Und du?

🎧 1.39 **c** Hören Sie das Gespräch von Herrn Moreno und Frau Weiß. Was fragt Herr Moreno? Markieren Sie in 3b mit √ und vergleichen Sie mit Ihrer Auswahl.

🎧 1.39 **d** Hören Sie noch einmal und notieren Sie die Antworten im Heft.

1. 45 Euro im …
2. …

e Auslandskrankenversicherung – Planen und spielen Sie einen Dialog.

Kunde / Kundin	Versicherungsvertreter/in
Sie (1 Erwachsener, 1 Kind) möchten Ihren Urlaub in Vietnam verbringen und brauchen deshalb eine Reisekrankenversicherung für das Ausland. Fragen Sie nach Preis, Personen, Dauer.	Sie haben Reisekrankenversicherungen für 10 Tage (30 Euro) oder einen Monat (50 Euro) für eine Familie. Es gibt auch eine Jahresversicherung für 100 Euro.

UND SIE?

Welche Erfahrungen haben Sie mit Versicherungen gemacht? Was ist für Sie bei einer Versicherung wichtig? Sprechen Sie zu dritt.

über Erfahrungen sprechen	Wichtigkeit ausdrücken
Bei mir war es so: …	Ich finde es wichtig, dass …
Mir hat es (nicht) gut gefallen, dass …	Eine große Rolle spielt …
Ich war (nicht) zufrieden, weil …	Die Versicherung sollte …
Es war einfach/kompliziert, als …	Ich finde, man braucht unbedingt …

K3-1 4 Papa, ich möchte ein eigenes Konto.

a Warum gibt Herr Moreno seiner Tochter Carla Geld?

> Vielleicht soll sie einkaufen gehen.

🎧 1.40 **b** Hören Sie das Gespräch. Was ist richtig? Kreuzen Sie an:
ⓐ oder ⓑ?

1. Carla möchte ein Konto und eine EC-Karte, …
   ⓐ weil sie immer bequem Geld überweisen will.
   ⓑ weil alle in ihrer Klasse das haben.

2. Herr Moreno gibt seiner Tochter 50 Euro, …
   ⓐ weil sie neue Schuhe kaufen will.
   ⓑ weil sie jeden Monat 50 Euro Taschengeld bekommt.

🎧 1.41 **c** Ordnen Sie die Fragen von Carla den Antworten von Juliana und Herrn Moreno zu. Hören Sie dann zur Kontrolle.

Ⓐ __3__ Was sind „Kontoauszüge"?

Ⓑ ……… Was ist ein „Dauerauftrag"?

Ⓒ ……… Was bedeutet „Überweisung"?

Ⓓ ……… Was heißt „Geld abheben"?

Ⓔ ……… Was ist eine „Direktbank"?

1. Wenn man etwas bargeldlos von seinem Konto auf ein anderes Konto einzahlen will, füllt man ein Formular online am Computer oder per Hand in der Bank aus.
2. Du gehst mit deiner EC-Karte zum Geldautomaten und bekommst Bargeld.
3. Da kannst du sehen, wann und von wem du Geld bekommen hast und wann und wohin du Geld geschickt hast.
4. Seine Bankgeschäfte kann man hier nicht persönlich machen, man macht alles online.
5. Wenn man das hat, überweist die Bank automatisch jeden Monat eine bestimmte Summe, z.B. das Taschengeld, die Miete oder die Versicherung.

🎧 1.41 **d** Lesen Sie die zwei Anzeigen. Hören Sie den Dialog aus 4c dann noch einmal.
Welche Bank ist für Carla passend? Warum? Sprechen Sie.

BankDirect

Deine Vorteile auf einen Blick:

• Kostenlos für Schüler, Azubis und Studenten bis 25 Jahre

• Kostenlose EC-Karte und Kreditkarte

• Kostenlos abheben bei Partnerbanken

• Kostenlose Betreuung über die Online-Filiale

• Mobiles B@nking mit appTAN für iOS oder Android

EasyBank 2020

Deine Vorteile beim Girokonto für Schüler:

√ Kostenlos Bargeld an 25.000 Geldautomaten deutschlandweit abheben
√ Beim Einkaufen bargeldlos bezahlen
√ Überweisungen und Daueraufträge möglich
√ Online-Banking möglich
√ Voller Überblick über deine Finanzen mit Kontoauszügen online
√ Freundliche und kompetente Beratung in deiner Bankfiliale

UND SIE?

Wie erledigen Sie Ihre Bankgeschäfte? Warum? Tauschen Sie sich aus.

> Ich mache alles mit einer BankApp auf meinem Handy.

> Die Kontoauszüge drucke ich in der Bank aus.

5 Hilfe – meine EC-Karte ist weg!

a Herr Moreno findet seine EC-Karte nicht mehr. Was soll er machen?

> Er könnte seine Frau fragen. Die weiß das bestimmt.

b Im Internet findet Herr Moreno folgenden Artikel. Lesen Sie und kreuzen Sie an: richtig oder falsch?

Karte verloren? – Karte sperren

► Lassen Sie bei Verlust Ihrer EC-Karte diese sofort sperren.
► Wählen Sie die Nummer des Sperrnotrufs: 116 116.
► Für das Sperren der EC-Karte ist die Angabe Ihrer IBAN-Nummer nötig.
► Die Nummer ist 365 Tage im Jahr rund um die Uhr erreichbar.
► Der Anruf des Sperrnotrufs ist im Inland kostenlos.
► Informieren Sie bei einem Verlust Ihrer EC-Karte auch Ihre Bank.
► Bei Diebstahl der Karte informieren Sie zusätzlich die Polizei.

	R	F
1. Sonntags kann man den Sperrnotruf auch anrufen.	☐	☐
2. Im Inland kostet der Anruf nichts.	☐	☐
3. Man muss seine IBAN-Nummer angeben.	☐	☐
4. Die Polizei muss man auch immer informieren.	☐	☐

c Service unserer Bank – Ordnen Sie zu.

1. Die Nummer des Sperrnotrufs   a) bekommen Sie 50 € Startguthaben.
2. Bei Verlust Ihrer EC-Karte   b) benutzen Sie unseren Kontoauszugsdrucker.
3. Bei Eröffnung eines Kontos   c) ist 116 116.
4. Zum Ausdruck Ihrer Kontoauszüge   d) helfen Ihnen gerne.
5. Die Mitarbeiter unserer Filiale   e) sollten Sie Ihre Bank informieren.

d Lesen Sie die Sätze in 5c noch einmal und ergänzen Sie die Tabelle. (G)

FOKUS   Genitiv

		Genitiv		
der Notruf	die Nummer	.... / eines	/ Ihres Sperrnotruf............
das Konto	bei Eröffnung	des /	/ Ihres Konto..........
die EC-Karte	bei Verlust	der / einer	/ .... EC-Karte
die Auszüge	zum Ausdruck	der / –*	/ .... Kontoauszüge

> * Kein Genitiv Plural bei unbestimmtem Artikel, sondern *von* mit Dativ: **von Kontoauszügen** 😊

e Schreiben Sie Sätze mit Genitiv wie in 5c.

1. die Nummer / die Polizei / 110 sein
2. Carla / am Anfang / der Monat / Geld bekommen
3. das Drucken / Kontoauszüge / kostenlos sein
4. das Display / das Handy / kaputt sein

f Spielen Sie einen Sperrnotruf.

Person A	Person B
Sie haben Ihre Brieftasche verloren. In der Brieftasche war auch Ihre EC-Karte. Rufen Sie den Sperrnotruf 116 116 an und melden Sie den Verlust. Ihre IBAN ist: DE 64 5001 0030 0541 6146 07.	Sie arbeiten beim Sperrnotruf. Fragen Sie den Anrufer nach Namen, IBAN sowie Ort und Zeitpunkt des Verlusts.

6 Wir fühlen uns schon sehr wohl hier.

a Welche Meinungen und Ansichten gibt es in Ihrem Heimatland über das Leben in Deutschland und die Deutschen? Sammeln Sie.

> Bei uns denkt man, dass die Deutschen ...

> Viele Leute in ... denken, dass in Deutschland ...

b Lesen Sie die E-Mail von Frau Moreno an eine Freundin. Was ist richtig? Markieren Sie.

> Liebe Andrea,
>
> es war schön, wieder von dir zu hören. Es geht uns momentan sehr gut. Obwohl wir noch nicht lange in Frankfurt wohnen, fühlen wir uns schon sehr wohl. Carla und Lucas gehen schon in die Schule, obwohl ihr Deutsch noch nicht so gut ist. Besonders gut gefällt mir, dass die Verkehrsmittel, also Busse, U-Bahnen usw., hier immer so pünktlich und zuverlässig fahren. Andere Sachen dagegen dauern erstaunlich lange. Auf unseren Internetanschluss haben wir fast einen Monat gewartet! Mit unserem Internetanbieter hatten wir noch mehr Probleme. Ich war dann bei der Verbraucherzentrale und die haben uns zum Glück schnell geholfen. Viele Leute in Spanien sind der Ansicht, dass die Deutschen distanziert sind, aber ich habe ganz andere Erfahrungen gemacht. Die Leute, die ich kenne, sind nett und helfen gern.
> Ruf doch mal an, dann erzähle ich dir mehr.
> Herzliche Grüße
> Deine Carmen

1. Frau Moreno denkt, dass die öffentlichen Verkehrsmittel in Deutschland *gut/schlecht* funktionieren.
2. Einen Internetanschluss hat Familie Moreno *sehr schnell / erst nach einiger Zeit* bekommen.
3. Frau Moreno hat die Erfahrung gemacht, dass viele Deutsche *verschlossen / freundlich und hilfsbereit* sind.

c Markieren Sie die *obwohl*-Sätze in der E-Mail und ergänzen Sie den Kasten.

(G)

FOKUS	Nebensätze mit *obwohl*: anders als erwartet

Nebensatz	Hauptsatz
Obwohl wir noch nicht lange hier (wohnen),	....

Hauptsatz	Nebensatz
Die Kinder gehen hier schon in die Schule,	obwohl .... (........).

d Verbinden Sie und schreiben Sie Sätze mit *obwohl*.

1. Familie Moreno hat die Wohnung genommen.
2. Lucas war pünktlich in der Schule.
3. Herr Moreno lebt gern in Deutschland.
4. Frau Moreno ist nach Deutschland gezogen.

a) Sie hatte eine gute Arbeit in Spanien.
b) Er vermisst seine Freunde aus Madrid.
c) Sie ist sehr teuer.
d) Der Bus hatte Verspätung.

> *1. Familie Moreno hat die Wohnung genommen, obwohl sie sehr teuer ist.*

e Schreiben Sie drei Zettel wie im Beispiel. Tauschen Sie die Zettel und schreiben Sie die Sätze zu Ende.

> *Natalie kauft ein neues Kleid, obwohl ...*

UND SIE?

Schreiben Sie eine E-Mail wie in 6b. Wählen Sie.

Ein Freund zieht nach Deutschland. Berichten Sie von Ihren Erfahrungen und geben Sie Tipps.

oder

Ein Freund möchte in Ihr Heimatland ziehen. Geben Sie Tipps und Empfehlungen.

7 Hilfe für Verbraucher

a In Deutschland kann man sich in Verbraucherzentralen informieren und beraten lassen. Lesen Sie die Forumstexte. Wer schreibt zu welchem Thema etwas?

Reise, Freizeit, Mobilität ....

Energie, Bauen, Wohnen ....

Finanzen ....

Versicherung ....

Lebensmittel, Ernährung *babsi*

Gesundheit, Pflege ....

Medien, Telefon ....

Haushalt, Umwelt ....

babsi 22:04 — Ich finde die Verbraucherzentrale ganz wichtig. Sie hat mir zum Beispiel bei zahlreichen Fragen zu Babynahrung und zu Medikamenten geholfen.

siggi 22:35 — Ich hatte Probleme mit meinem Vermieter. Beim Auszug sollte ich die Wohnung renovieren, obwohl ich sie schon beim Einzug renoviert habe. Bei der Verbraucherzentrale hat man mich sehr freundlich und kompetent beraten.

boris 22:47 — Gute Erfahrungen habe ich mit den Infos über Versicherungen gemacht. In der Broschüre „Richtig versichert – viel Geld gespart" konnte ich sehen, welche Versicherungen sinnvoll und welche weniger sinnvoll sind oder wie man schlechte Versicherungen kündigen kann.

luisa 22:59 — Obwohl ich rechtzeitig gekündigt habe, wollte mein Internetanbieter die Kündigung nicht akzeptieren. Deswegen habe ich bei der Verbraucherzentrale mit einem Rechtsanwalt gesprochen. Die Beratung hat zwar Geld gekostet, aber seine Ratschläge haben mir geholfen.

sandmann 23:11 — Ich wollte ein Haus kaufen. Vorher habe ich mich bei der Verbraucherzentrale erkundigt, was ich beachten muss, wenn ich einen Kredit aufnehme, zum Beispiel wie hoch mein Einkommen sein muss.

b Warum haben die Personen in 7a Hilfe bei der Verbraucherzentrale gesucht? Wie hat die Verbraucherzentrale geholfen? Was würden Sie bei diesen Problemen machen? Sprechen Sie.

c Waren Sie schon einmal bei einer Verbraucherzentrale? Gibt es in Ihrem Land ähnliche Beratungsstellen?

8 Aussprache: schwierige Wörter

♪ 1.42 **a** Hören Sie und sprechen Sie nach.

1. Versicherung — Haftpflichtversicherung — Ich brauche eine Haftpflichtversicherung.
2. Notruf — Sperrnotruf — Rufen Sie den Sperrnotruf an.
3. Zentrale — Verbraucherzentrale — Gehen Sie zur Verbraucherzentrale.

b Sprechen Sie die Wörter zuerst sehr langsam und dann schneller. Suchen und üben Sie auch andere Wörter, die für Sie schwierig sind.

Auslandskrankenversicherung   Kontoauszugsdrucker   Internetanbieter   ...

VORHANG AUF

Planen und spielen Sie Dialoge.

(A) Ich hatte letztes Jahr einen Unfall. / Und hattest du eine Versicherung?

(B) Mama, ich brauche ein Konto ...

(C) Ich ziehe nach ... Kannst du mir ein paar Tipps geben?

ÜBUNGEN

1 Die kaputte Vase

🎧 1.43 **Lesen Sie die WhatsApp-Nachrichten von Herrn Moreno und vergleichen Sie mit Aufgabe 1 auf Seite 33. Was ist falsch? Korrigieren Sie und hören Sie zur Kontrolle.**

| Gestern war meine Tante zu Besuch. | Ihre Tochter war auch dabei und hat Ball gespielt. | Dann hat sie die schöne Lampe kaputt gemacht. | Die Mutter hat gesagt: „Gut gemacht!" | Zum Glück hat sie mir den Schaden gleich bezahlt. |

1. *Nachbarin*   2. ....   3. ....   4. ....   5. ....

....

2 Welche Versicherung hilft?

a Die Schadensmeldung – Ordnen Sie den Brief.

.... Anbei schicke ich ein Foto der kaputten Lampe

und die Rechnung.

.... Mit freundlichen Grüßen

Maria Canale

.... Meine Freunde erreichen Sie für Fragen unter 0711-281291, Sarah und Fred Rost.

.... ich muss Ihnen einen Schaden melden.

.... Wir haben zusammen zu Abend gegessen und ich habe eine Lampe kaputt gemacht.

.... Die Lampe war zwei Monate alt und hat 87,– € gekostet.

.... Letztes Wochenende, am 10.04., war ich bei Freunden in Stuttgart, Rotebühlstraße 28.

...*1*... Versicherungsnummer 500-70432500

Sehr geehrte Damen und Herren,

b Schreiben Sie eine eigene Schadensmeldung an die Versicherung wie in 2a. Die Angaben helfen Ihnen.

Versicherungsnummer 833475   bei einem Kollegen zu Besuch: Luis Burger   am letzten Mittwoch

Vase runterfallen   einen Monat alt

Preis: 40,– €   Rechnung

Handynummer: 01557 7238383

c Welches Wort passt? Ergänzen Sie.

Anwalt   günstig   individuelle   Kosten   kümmern   Prozess   ~~Schaden~~

Unsere Versicherung bietet Ihnen bei einem (1) *Schaden* Schutz und übernimmt alle

(2) .... Wir helfen Ihnen auch, wenn es zu einem (3) .... vor Gericht

kommt und Sie einen (4) .... brauchen. Wir bieten für jeden Kunden (5) ....

Tarife und sind deshalb für Sie besonders (6) .... Entscheiden Sie sich für uns und wir

(7) .... uns um alles!

3 Die Versicherungsvertreterin

🎧 1.44 **a** **Lesen Sie die Antworten und ergänzen Sie die Fragen.**
Hören Sie dann zur Kontrolle.

- ● Ich interessiere mich auch für eine Unfallversicherung.
  - ○ Sehr gerne, da haben wir ein gutes Angebot, die „Unfallversicherung plus".
- ● (1) Wie _teuer ist_...?
  - ○ Für eine Person kostet das circa 100 Euro.
- ● (2) Für welche...?
  - ○ Für alle Unfallschäden, die nicht in der Arbeit passieren.
- ● (3) Wie...?
  - ○ Sie können uns anrufen oder den Unfall online melden.
- ● (4) Wann..?
  - ○ Sie können immer zum Ende eines Versicherungsjahres kündigen.
- ● Können Sie mir dann den genauen Preis sagen?
  - ○ Gerne. Dazu brauche ich …

🚑 Hilfe? – Hören Sie zuerst und schreiben Sie dann die Fragen.

b **Was gehört zusammen? Verbinden Sie.**

1. Ich finde es wichtig, dass …
2. Mir hat es nicht gut gefallen, dass …
3. Es war kompliziert, …
4. Die Versicherung sollte …
5. Eine große Rolle spielt …

a) besondere Tarife für Familien bieten.
b) für mich der Preis für die Versicherung.
c) man die Versicherung immer anrufen kann.
d) die Überweisung so lange gedauert hat.
e) online die Informationen zu finden.

P **c** **Lesen Sie zuerst die Aufgaben 1 bis 3 und suchen Sie dann die Informationen im Text.**
Kreuzen Sie an: richtig oder falsch?

Reiserücktrittsversicherung
Wenn Sie Ihren Urlaub nicht machen können

Was ist versichert?
Wenn Sie eine Reise wegen eines versicherten Grundes (z. B. eine plötzliche Erkrankung) nicht antreten können, erstatten wir Ihnen die Kosten für den Reiseausfall. Auch wenn Sie die Reise vorzeitig beenden müssen, übernehmen wir die Kosten der Reise.
Die Versicherung können Sie auch abschließen, wenn Sie die Reise schon gebucht haben. Wenn Sie eine Jahresversicherung wählen, sind alle Reisen innerhalb des Jahres versichert.

Wer ist versichert?
Die Versicherung gilt für die ganze Familie. Zur Familie gehören Sie, Ihr Ehe- oder Lebenspartner und Ihre Kinder unter 18 Jahren. Sie können getrennt oder zusammen verreisen, auch Einzelreisen der minderjährigen Kinder sind versichert.

Was müssen Sie bei der Zahlung beachten?
Die Höhe des Beitrags hängt vom Tarif ab, den Sie wählen, und außerdem von Ihrem Alter. Die Preise finden Sie in der Liste <u>hier</u>. Für den Jahresbeitrag können Sie eine einmalige Zahlung zu Versicherungsbeginn wählen oder in monatlichen Raten zahlen. Die Versicherung verlängert sich automatisch, wenn Sie nicht einen Monat vor Vertragsende kündigen.

	R	F
1. Die Versicherung zahlt, wenn Sie während der Reise krank werden.	☐	☐
2. Die Familienversicherung gilt für Kinder nur, wenn sie mit den Eltern verreisen.	☐	☐
3. Die Versicherung zahlt im Jahr nur für eine bestimmte Zahl von Reisen.	☐	☐

4 Papa, ich möchte ein eigenes Konto.

a Ergänzen Sie die fehlenden Wörter.

1. Bei der Bank kann man ein ... eröffnen.　　　　　 *K o n t o*

2. Dann kann man zum Beispiel die Miete ...　　　 _ _ _ _ _ _ _ _ _ _

3. Viele machen dafür einen ..., dann bezahlt man automatisch.　　 _ _ _ _ _ _ _ _ _ _ _

4. Von der Bank bekommt man eine ... .　　　 _ _ - _ _ _ _ _

5. Damit kann man Geld am Geldautomaten ... .　　 _ _ _ _ _ _ _

6. Viele haben auch eine ... Mit ihr kann man auch zahlen.　　 _ _ _ _ _ _ _ _ _ _

 abheben • Dauerauftrag • EC-Karte • ~~Konto~~ • Kreditkarte • überweisen

🎧 1.45 **b** Die Kontoeröffnung – Hören Sie das Gespräch in der Bank. Kreuzen Sie an: ⓐ oder ⓑ?

1. Was für ein Konto möchte Frau Jurić?
   ⓐ Ein Girokonto.
   ⓑ Ein Sparkonto.

2. Das Konto ...
   ⓐ ist für Frau Jurić kostenlos.
   ⓑ kostet 25 Euro.

3. Frau Jurić arbeitet jetzt ...
   ⓐ in einem Kindergarten.
   ⓑ in einem Hort.

4. Sie hat die deutsche Staatsangehörigkeit ...
   ⓐ noch nicht.
   ⓑ seit einigen Jahren.

5 Hilfe – meine EC-Karte ist weg!

a Markieren Sie die Genitiv-Form.

1. Für das Konto **der**/den/des Kinder brauchen wir die Unterschrift der/den/des Eltern.

2. Die Auszüge Ihr/Ihres/Ihrer Kontos erhalten Sie auf Wunsch per Post.

3. Beim Verlust der/den/des Karte müssen Sie die Karte sofort sperren lassen.

4. Die Nummer der/den/des Sperrnotrufs finden Sie auf der Webseite Ihr/Ihres/Ihrer Bank.

b Ergänzen Sie den Text. Die Bilder helfen.

die Kollegen　　　der Mitarbeiter　　　die Kollegin　　　der Schrank　　　das Büro

Der Chef hat gestern zuerst die Tassen (1) *der Kollegen* abgewaschen.

Dann hat er noch den Schreibtisch (2) .... aufgeräumt.

Die Jacke (3) .... hat er in den Schrank gehängt. Den

Schlüssel (4) .... hat er in seine Tasche gesteckt. Endlich hat

er die Tür (5) .... abgesperrt und ist nach Hause gegangen.

> Vorsicht: 😊
> maskulin und
> neutrum mit *-(e)s*:
> *des Schranks*

🎧 1.46 **c Ein Anruf beim Sperrnotruf. Ordnen Sie zu und hören Sie zur Kontrolle.**

● Guten Tag, hier ist der Sperrnotruf, Martin Miller. Was kann ich für Sie tun?

○ 1. ⓒ

● Das kann passieren, bleiben Sie einfach ruhig.

○ 2. ◻

● Jetzt sperren wir zuerst einmal Ihre Karte, dann kann das nicht passieren. Wie heißen Sie?

○ 3. ◻

● Ihre Adresse brauche ich gar nicht, aber bitte geben Sie mir Ihre IBAN-Nummer.

○ 4. ◻

● Danke. Dann ist Ihre Karte jetzt gesperrt. Seit wann vermissen Sie Ihre Karte denn?

○ 5. ◻

● Wenn es ein Diebstahl ist, dann gehen Sie noch zur Polizei. Und Sie müssen eine neue Karte beantragen.

○ 6. ◻

a) Also, gestern Abend hatte ich sie noch und heute Morgen habe ich sie nicht mehr gefunden.

b) Entschuldigen Sie, also, mein Name ist Elisabeth Krämer. Ich wohne in Stuttgart.

c) Hallo! Ich kann meine EC-Karte nicht mehr finden. Schrecklich!

d) Ja, aber ich habe Angst, dass jemand Geld von meinem Konto abhebt.

e) Meine IBAN-Nummer ist DE42 7006 0025 0344 5578 08.

f) Vielen Dank. Das mache ich gleich.

🚑 Hilfe? – Hören Sie zuerst und ordnen Sie dann zu.

6 Wir fühlen uns schon sehr wohl hier.

↻ **a Was passt? Wählen Sie für jeden Satz ein blaues Wort und schreiben Sie Sätze.**

1. Letztes Jahr sind wir umgezogen,	damit — wir das schon immer wollten.
2. Wir hatten am Anfang keine Freunde,	deshalb — war es schwer für uns.
3. Wir haben dann einen Sprachkurs besucht,	als — wir uns mit allen unterhalten können.
4. Wir haben uns gleich wohlgefühlt,	weil — wir das erste Mal dort waren.
5. Wir treffen die Teilnehmer immer noch oft,	aber — wir Zeit haben.
6. Jetzt haben wir viele Freunde,	wenn — manchmal haben wir Heimweh.
7. Ich finde es am wichtigsten,	dass — man sich überall zu Hause fühlt.

1. Letztes Jahr sind wir umgezogen, weil wir das schon immer wollten.

....

....

....

....

....

....

b Schreiben Sie die Sätze fertig.

1. Ich bin nach Österreich gezogen, obwohl *ich eine* _____.

   eine gute Arbeit / haben (Präteritum) / ich

2. Viele Freunde kommen mich besuchen, obwohl _____.

   nicht viel Geld / haben / sie

3. Mir gefällt es sehr gut hier, obwohl _____.

   vermissen / ich / meine Familie

4. Deutsch habe ich schnell gelernt, obwohl _____.

   kein Wort / kennen (Präteritum) / ich / vor einem Jahr

c Ergänzen Sie die Sätze frei.

1. Ich mache heute keine Hausaufgaben, obwohl _____

2. Ich telefoniere oft mit alten Freunden, obwohl _____

3. Mit Deutschen spreche ich gerne, obwohl _____

4. Das Essen hier schmeckt mir gut, obwohl _____

7 Hilfe für Verbraucher

a Ordnen Sie zu. Meistens passen zwei Wörter.

Bauen   Ernährung   ~~Finanzen~~   Freizeit   Gesundheit   Haushalt   Lebensmittel   Medien
Pflege   Reise   Telefon   Umwelt   Versicherung   Wohnen

1. *Finanzen* _____
2. _____
3. _____
4. _____
5. _____
6. _____
7. _____
8. _____

b Lesen Sie die Forumstexte auf Seite 39 in 7a noch einmal. Warum waren die Personen bei der Verbraucherzentrale? Notieren Sie die Namen.

babsi   siggi   boris   luisa   ~~sandmann~~

1. *sandmann* _____ hat viel Geld auf einmal gebraucht und hat sich beraten lassen.

2. _____ hat Informationen bekommen, wie man einen Vertrag kündigen kann.

3. _____ wollte etwas nicht zweimal machen und konnte seine Rechte klären.

4. _____ hatte Schwierigkeiten mit einer Firma, obwohl er alles richtig gemacht hat.

5. _____ hat die Möglichkeit genutzt, sich über bestimmte Themen zu informieren.

8 Aussprache: schwierige Wörter

♫ 1.47 **a** Hören Sie und sprechen Sie nach.

1. Auszug
2. Auftrag
3. bargeldlos

4. empfehlen
5. Einbruch
6. Haftpflicht

7. unterschiedlich
8. Deutschland
9. entstehen

b Notieren Sie zehn schwierige Wörter mit mehreren Konsonanten.
Sprechen Sie diese laut.

Waschmaschine,
....

....

WORTBILDUNG: Zeitangaben

a *Tagelang, täglich, sonntags* – Was bedeuten die Ausdrücke? Kreuzen Sie an: ⓐ oder ⓑ?

1. Tagelang habe ich auf den Brief gewartet.
   ⓐ Ich habe den ganzen Tag gewartet.   ⓑ Ich habe mehrere Tage gewartet.
2. Meine Mutter ruft mich täglich an.
   ⓐ Sie ruft am Tag, nicht am Abend an.   ⓑ Sie ruft jeden Tag an.
3. Sonntags fahren wir sie besuchen.
   ⓐ Wir fahren jeden Sonntag zu ihr.   ⓑ Wir fahren nur diesen Sonntag zu ihr.

b Ordnen Sie die Wörter.

~~stündlich~~   abends   jahrelang   freitags

minutenlang   monatlich   nachmittags   dienstags

wöchentlich   jahrhundertelang   nachts   stundenlang

nächtelang   jährlich   morgendlich

> Mit *-lang/*
> *-lich* kann es einen
> Vokalwechsel geben:
> $u \to ü, a \to ä, o \to ö$

Wochentage und Zeitangaben wie *Morgen, Mittag, ...* + *-s*	Zeitangaben + *-lich* → meist als Adjektiv	Zeitangaben wie *Stunde, Tag, Monat, ...* + *-lang*
....	*stündlich*	....
....	....	....
....	....	....
....	....	....
....	....	....

RICHTIG SCHREIBEN: Fehlerkorrektur

Suchen Sie die sechs Fehler. Streichen Sie das falsche Wort und notieren Sie das richtige Wort rechts.

Letzte Woche war ich bei ~~den~~ Verbraucherzentrale, weil ich so viele Spam-   *der* ....

Mails bekomme. Ich weiß nicht mehr, was ich tun soll. Zum Glück hat meine   ....

Computer noch keinen Probleme, aber ich habe schon keine Lust mehr, Mails   ....

zu öffnen. Der nette Mitarbeiter hat mir eine Programm empfohlen und   ....

meinte, dass viele dieses Problem haben. Man sollte einfach kein Mails von   ....

unbekannter Absendern öffnen und im Internet immer gut aufpassen.   ....

Mein Deutsch nach Kapitel 3

Das kann ich:

mich über Versicherungen informieren

Ergänzen Sie die Fragen.

Wie teuer ...?　Wann kann ...?

Wie schnell muss ...?

Für welche Schäden ...?

über meine Erfahrungen mit Banken und Versicherungen sprechen

Wählen Sie ein Thema und sprechen Sie.

Ich habe seit zwei Jahren ein Girokonto. Das ...

Letztes Jahr hatte ich einen Unfall. Meine Versicherung ...

über Erfahrungen in Deutschland schreiben

Schreiben Sie einen Kommentar für ein Internetforum.

> Das Leben in Deutschland ist ganz anders als in meinem Heimatland. Bei uns bringt man als Gast zum Beispiel kein Essen mit, in Deutschland ist das aber normal.

---

erzählen, wie ich etwas verloren habe

Sprechen Sie.

Letzten Monat habe ich ... verloren. Das war ärgerlich, weil ... Ich ...

www → B1/K3

Das kenne ich:

Ⓖ

Genitiv

der Notruf	die Nummer	**Genitiv** des/eines/Ihres Sperrnotrufs
das Konto	bei Eröffnung	des/eines/Ihres Kontos
die EC-Karte	bei Verlust	der/einer/Ihrer EC-Karte
die Auszüge	zum Ausdruck	der/ –*/Ihrer Kontoauszüge

> * Kein Genitiv Plural bei unbestimmtem Artikel, sondern Dativ mit *von*: **von Kontoauszügen**

Nebensatz mit *obwohl*: anders als erwartet

Nebensatz　　　　　**Hauptsatz**

Obwohl wir noch nicht lange hier (wohnen), haben wir schon viel Kontakt mit den Nachbarn.

Hauptsatz　　　　　**Nebensatz**

Die Kinder gehen hier schon in die Schule, obwohl ihr Deutsch noch nicht sehr gut (ist).

🄶

Schmeckt's?

Hast was verpasst.
Selber schuld 😕

1 Aus dem Fotoalbum

a Sehen Sie die Bilder an. Was hat sich verändert? Sammeln Sie Ihre Eindrücke und Vermutungen.

> Das Foto A ist bestimmt ziemlich alt, vielleicht aus dem Jahr … Hier sitzen … und … Heute hingegen …

🎧 1.48 – 50 **b** Hören Sie drei Gespräche. Notieren Sie für die Bilder A bis C drei Informationen. Vergleichen Sie.

	Wann war das?	_Was gab es zu essen?_
Bild A	Mittagessen	…

c Wie sind Ihre Essgewohnheiten? Was essen Sie zum Frühstück, zu Mittag, zum Abendessen? Erzählen Sie.

Für mich ist beim Essen wichtig, dass
Bei mir/uns gibt es oft/selten …
Die wichtigste Mahlzeit ist …
Ein besonderes Gericht ist … Das gibt es …

Zum Frühstück gehören für mich …
Zu Mittag mag ich … / Zu Mittag esse ich gern …
Zum Abendessen gibt es …
Kuchen/… esse ich …

Sprechen Gewohnheiten und Veränderungen beschreiben; über Veränderungen berichten; Gespräche beim Essen führen; Ratschläge zur Ernährung geben; eine Präsentation machen | **Hören** Smalltalk | **Schreiben** Bildgeschichte; Text über Essgewohnheiten | **Lesen** Schulbuchtext über Essgewohnheiten; Umfrage | **Beruf** Workshop in der Firma; Ernährungsberaterin

2 Vor 50 Jahren und heute

a Wie und warum verändern sich Essgewohnheiten? Lesen Sie die Fragen und sammeln Sie Antworten im Kurs.

1. Wer arbeitet und wer kocht?
2. Welche Lebensmittel gibt es und wie viel kosten sie?

b Arbeiten Sie zu zweit. Jeder sucht auf dem Arbeitsblatt von Jonas Informationen zu einer Frage von 2a. Tauschen Sie die Informationen aus.

Datum _23.5._   Klasse _8b_   Name _Jonas Wächter_

Essgewohnheiten früher und heute

Vor 50 Jahren war es normal, dass die Frauen nicht arbeiten gingen. Sie blieben zu Hause und sorgten „nur" für Haushalt und Kinder. Es gab drei Mahlzeiten pro Tag. Wenn es möglich war, kamen die Männer zum Mittagessen nach Hause. Dann aß die ganze Familie gemeinsam.

Heute ist vieles anders. Die meisten Frauen sind auch berufstätig. Viele Leute essen mittags in der Kantine oder direkt am Arbeitsplatz: Auf dem Weg zur Arbeit kaufen sie Sandwiches, einen Salat oder ein Fertiggericht, das sie in der Mikrowelle aufwärmen. Auch Kinder essen mittags oft im Kindergarten oder in der Schule.

Aber nicht nur die Arbeitswelt war anders. Die Frauen kochten viel mit Grundnahrungsmitteln: Kartoffeln, Mehl, Milch und Eier. Das brauchte viel Zeit. Fleisch war teuer, der Sonntagsbraten hatte seinen Namen zu Recht. Unter der Woche kam nur wenig Fleisch auf den Tisch. Für ein Kilo Fleisch musste man 5x länger arbeiten als heute (siehe Infokasten). Gemüse und Obst gab es je nach Saison: Wenn gerade die heimischen Tomaten reif waren, aß man Tomaten, sonst nicht. 1960 verbrauchte man pro Person ca. 110 Kilo Kartoffeln, heute sind es nur noch 70 Kilo. Das Essen ist auch internationaler geworden. Früher waren Nudeln noch selten, heute sind (italienische) Pasta und Pizza wichtige Speisen der Deutschen.

> So lange muss man arbeiten für
> 1 Kilogramm Fleisch
> 1960: 2 Stunden 37 Minuten
> heute: ca. 32 Minuten

Projekt: Interview
Mach ein Interview mit älteren Personen (z.B. deinen Großeltern oder Eltern), was sie als Kind gegessen haben.
Was gab es meistens zum Frühstück? Was aß man am Abend? Wann gab es Kuchen?

c Lesen Sie den Text noch einmal. Was war früher, was ist jetzt? Markieren Sie die Verben für Präsens und Präteritum mit zwei unterschiedlichen Farben und sprechen Sie.

> Vor 50 Jahren blieben die meisten Frauen zu Hause und ... Heute ... >

UND SIE?

Sprechen Sie über Essgewohnheiten. Wählen Sie.

Unterschiede zwischen Ihrem Land und D-A-CH   Veränderungen früher und heute

3 Jonas hat nachgefragt.

1.51–52 **a** Hören Sie die beiden Gespräche. Ergänzen Sie in den Berichten von Jonas die passenden Verben im Präteritum.

aßen   stand

backte   gab   tranken

kochte   waren

Bericht von meiner Oma Marianne (ca. 1955)

aßen   bekam   fiel weg

kamen   gingen

veränderten   wusste

Meine Mutter Lena berichtet (90er Jahre)

Als meine Oma jung war, ... die Leute sehr viel Kartoffeln. Ihre Mutter .... einfache Sachen, die billig .... Fleisch .... es nur am Sonntag. Und bei jedem Mittagessen .... auch eine Suppe auf dem Tisch. Am Sonntag .... ihre Mutter immer einen Kuchen. Zum Kuchen .... sie richtigen Kaffee.

In den 90er-Jahren .... man alles und viele .... auch zu viel. Man .... aber auch mehr über den Zusammenhang von Essen und Gesundheit. Deshalb .... sich die Gewohnheiten. Viele Frauen .... arbeiten, die Kinder .... oft erst spät von der Schule. Das gemeinsame Mittagessen ....

b Schreiben Sie Kärtchen mit den Verben aus der Liste und mit Substantiven. Ziehen Sie eine Karte aus jedem Stapel und bilden Sie Sätze.

schmecken • probieren • sich ärgern • stehen • machen • stellen • essen • holen • telefonieren • bestellen • bekommen • bezahlen • zufrieden sein

Nach dem Fußballtraining schmeckte das Essen besonders gut.

c Als Jonas einmal kochte – Schreiben Sie die Geschichte im Präteritum.

Jonas, mach bitte das Essen für dich und Anna warm. Guten Appetit!

Igitt!

Du hast recht!

Jonas stand am Herd und machte das Essen warm.

4 Zu Gast bei Freunden

a Arbeiten Sie zu dritt. Jeder notiert Wörter zu einem Thema. Geben Sie dann Ihre Notizen weiter und ergänzen Sie Wörter auf den Zettel, den Sie bekommen. Geben Sie noch einmal weiter.

der Tisch	das Getränk	das Essen
die Gabel	die Limo	der Salat
...	...	...

b Wer sagt was? Ordnen Sie zu und ergänzen Sie die Sprechblasen.

> Schmeckt's?

> Mhm, lecker! Das Rezept musst du mir unbedingt geben.

> Ich bringe gleich die Nachspeise. Möchtet ihr vielleicht noch einen Kaffee?

> ...

> ...

🎧 1.53 **c** Hören Sie das Gespräch. Über welche Themen sprechen die Personen? Kreuzen Sie an.

☐ Sport   ☐ Urlaub   ☐ Kinofilme   ☐ gemeinsamer Ausflug
☐ Essen   ☐ Kleidung   ☐ Arbeit   ☐ gesunde Ernährung

d Smalltalk – Worüber sprechen Sie in diesen Situationen? Arbeiten Sie in Gruppen und sammeln Sie Stichpunkte.

Mittagessen in der Kantine: ....

Festessen mit Verwandten: ....

Essen bei Freunden: ....

e Wählen Sie eine Situation aus 4d und spielen Sie Gespräche.

über Essen sprechen	**etwas anbieten**	**ein neues Thema beginnen**
Das schmeckt toll/lecker.	Möchtest du vielleicht ...?	Hast du / Habt ihr schon gehört, ...
Das Rezept musst du mir unbedingt geben!	Wer möchte noch ...?	Ich wollte dir/euch noch erzählen, ...
Eigentlich esse ich nicht gern ..., aber das schmeckt gut.	Hast du schon ... probiert? Nimm dir / Nehmen Sie doch noch ...	Ist es nicht toll/schrecklich, dass ...?
Ich bin leider allergisch gegen ...		

5 So essen die Deutschen.

a Stimmen Sie den Aussagen zu oder nicht? Notieren Sie und sprechen Sie mit Ihrem Partner / Ihrer Partnerin.

	Sie	Partner/in
1. Für mich ist das Thema Essen sehr wichtig.	....	....
2. Ich ernähre mich gesund, weil ich das wichtig finde.	....	....
3. Ich esse oft Fertiggerichte.	....	....
4. Ich kann gut kochen.	....	....

b Lesen Sie den Text und vergleichen Sie mit Ihren Aussagen.

Wie essen die Deutschen?

Eine aktuelle Umfrage zeigte: Fast die Hälfte der Deutschen halten Essen für sehr wichtig, deshalb geben sie auch gern Geld dafür aus. Die meisten Frauen ernähren sich gesund oder fast immer gesund, nämlich 75 Prozent. Bei den Männern ist es nur die Hälfte, die gesund isst. Gesunde Ernährung findet die Mehrheit wichtig, aber noch wichtiger ist den Deutschen der Geschmack.

Knapp 40% der Männer sagen, dass sie täglich Obst und Gemüse essen, bei den Frauen sind es 80%, also doppelt so viele. Auch beim Kochen liegen die Frauen vorne: 44% der Männer können gut kochen, bei den Frauen sind es fast drei Viertel der Befragten. Sehr viele können also kochen, trotzdem kocht nur die Hälfte täglich zu Hause. Fertiggerichte gehen schnell, deswegen sind sie sehr beliebt.

25% = ein Viertel
33% = ein Drittel
50% = die Hälfte
75% = drei Viertel

> Viele deutsche Männer können gut kochen, aber ich kann gar nicht kochen.

c Lesen Sie den Text in 5b noch einmal und ordnen Sie dann zu.

1. Essen ist vielen sehr wichtig,
2. Die Mehrheit möchte sich gesund ernähren,
3. 80% der Frauen wollen gesund essen,
4. Viele Deutsche können kochen,
5. Fertiggerichte sind praktisch,

a) deshalb kaufen viele Deutsche sie.
b) deswegen essen sie jeden Tag Obst und Gemüse.
c) trotzdem soll das Essen auch schmecken.
d) trotzdem tun sie das nicht täglich.
e) deshalb kaufen sie auch teure Lebensmittel.

d Lesen Sie die Sätze in 5c noch einmal. Ergänzen Sie *deshalb/deswegen* und *trotzdem* in der Tabelle.

Ⓖ

FOKUS   *deshalb/deswegen* und *trotzdem*

Vielen Deutschen ist Ernährung wichtig, ... ⟨geben⟩ sie viel Geld für Essen aus.
       → *so wie erwartet*

Vielen Deutschen ist gesunde Ernährung wichtig, ... ⟨essen⟩ sie oft ungesund.
       → *anders als erwartet*

UND SIE?

Schreiben Sie die Sätze auf einem Zettel weiter. Verwenden Sie *deshalb/deswegen* oder *trotzdem*.
Mischen Sie die Zettel, ziehen Sie und lesen Sie vor. Wer hat das geschrieben?

1. Ich mag deutsches Essen (nicht) gern, ...
2. Am liebsten esse ich ..., ...

3. Im Restaurant ist das Essen teuer, ...
4. Ich kann (nicht) gut kochen, ...

6 Gesund essen – Ein Workshop in der Firma

a Sehen Sie die Bilder an. Was ist gesund, was ist ungesund? Diskutieren Sie in Kleingruppen.

> Ich glaube, viel Kuchen ist nicht gesund. Aber manchmal kann man schon Kuchen essen.

b Lenas Kollege Jens möchte am Workshop „Gesund essen" teilnehmen. Lesen Sie die E-Mail. Kreuzen Sie an: richtig oder falsch?

Von:	Jens Radevski
An:	Lena Wächter
Betreff:	Wollen wir hingehen? Klingt doch spannend!

Gesund essen und trinken

Sie glauben, Sie brauchen kein richtiges Mittagessen? Sie trinken einfach einen Kaffee und essen schnell etwas Süßes dazu? Für Obst und Gemüse haben Sie an einem Arbeitstag keine Zeit?

In diesem Workshop lernen Sie, was Sie in Ihrem Alltag ändern können. Sie brauchen nicht alles zu ändern, aber schon kleine Dinge verbessern Ihr Wohlbefinden. Sie fühlen sich aktiver und besser. Wir werden gemeinsam kleine Snacks zubereiten und uns über unser Essverhalten austauschen. Am Ende erhalten Sie noch eine Liste mit Tipps und weiteren Informationen.

Donnerstag 10:30–15:00 Uhr   Raum A232

	R	F
1. Der Workshop ist für Teilnehmende, die mittags nicht richtig essen.	☐	☐
2. Man muss sein Verhalten komplett ändern. Nur dann fühlt man sich besser.	☐	☐
3. Im Workshop gibt es auch etwas zu essen.	☐	☐
4. Die Teilnehmer sammeln gemeinsam Tipps für besseres Essverhalten.	☐	☐

🎧 1.54 **c** Hören Sie. Lena und Jens hören beim Workshop eine Präsentation. Bringen Sie die Tipps in die richtige Reihenfolge.

☐ nicht viel Fleisch und Fett essen

☐ wenig Salz und Zucker nehmen

☐ sich Zeit nehmen beim Essen

☐ fünfmal am Tag Gemüse oder Obst essen

☐ abwechslungsreich essen

🎧 1.54 **d** Hören Sie noch einmal. Welche Tipps finden Sie auch wichtig? Sprechen Sie im Kurs.

> Der Mann hat gesagt, man soll sich Zeit nehmen. Das finde ich auch: Wenn man keine Zeit hat, dann schmeckt das Essen auch nicht.

UND SIE?

Ernähren Sie sich gesund? Ernährt man sich in Ihrem Land gesund? Tauschen Sie sich aus.

7 Gesund essen – Eine kurze Präsentation

♪ 1.55–56 a Aussprache: Frei sprechen – Hören Sie einen Ausschnitt aus einer Präsentation. Was sind die Unterschiede? Welche Version ist besser und warum? Markieren Sie.

	Version 1	Version 2
Tempo?	zu schnell • gut • zu langsam	zu schnell • gut • zu langsam
Pausen?	zu wenig • gut • zu lang • zu viel	zu wenig • gut • zu lang • zu viel

b Markieren Sie im Text mögliche Pausen mit |. Lesen Sie dann den Text mit Pausen vor.

„Hallo, | das Thema meiner Präsentation ist: Typische Speisen in meinem Heimatland. Zuerst erzähle ich Ihnen etwas über unser Nationalgericht und wann man es isst. Dann spreche ich über die Bedeutung von Gewürzen und gebe einige Beispiele, welche Speisen man damit zubereitet. Zuletzt erzähle ich mehr über meine Lieblingsspeise. Ich komme gleich zum ersten Punkt: unser Nationalgericht."

c Welche Redemittel passen zum Anfang, zum Hauptteil und zum Schluss einer Präsentation? Notieren Sie A für Anfang, H für Hauptteil und S für Schluss.

Der erste Punkt … ………… • Ich möchte etwas über … erzählen. ………… • Ich bin der Meinung, dass … ………… •

Ich möchte ein Beispiel nennen: … ………… • Mein Thema ist … ………… • Zum Schluss ………… •

Dann komme ich zum zweiten Punkt: … ………… • Abschließend möchte ich noch sagen: … …………

d Arbeiten Sie zu zweit. Jeder wählt ein Thema und bereitet eine Präsentation vor. Die Fragen helfen Ihnen.

Vegetarische Ernährung

– Was ist das genau?
– Wie ist das in Ihrem Land?
– Was ist Ihre Meinung dazu?

Fertiggericht

– Was ist das genau?
– Was sind die Vor- und Nachteile?
– Was ist Ihre Meinung dazu?

Tipps
✓ Sprechen Sie deutlich und nicht zu schnell.
✓ Sehen Sie Ihre Zuhörer an.
✓ Verwenden Sie Ihre Notizen, aber lesen Sie nicht alles ab.
✓ Geben Sie auch Beispiele.

e Halten Sie die Präsentation vor Ihrem Partner / Ihrer Partnerin. Geben Sie Feedback zur Präsentation: Was war gut? Was kann er/sie noch besser machen?

Deine Präsentation war sehr interessant. Aber du hast etwas zu schnell gesprochen, das war schwierig für mich.

VORHANG AUF

Sie organisieren das Büfett für ein Fest in der Sprachenschule. Sie gehen zusammen einkaufen und kochen gemeinsam. Spielen Sie Gespräche zu den Situationen.

Planen Sie ein Essen.

Was wollen Sie kochen? Typische Gerichte/ Lebensmittel in Ihren Ländern.

Jetzt kaufen Sie ein.

Spielen Sie Gespräche auf dem Markt oder im Geschäft.

Gespräch beim Kochen

Wer macht was?

Tischgespräche

– Was essen Sie nicht? Warum?
– Sich gesund ernähren. Geben Sie Tipps.
– Bieten Sie einer anderen Gruppe etwas an. Beschreiben Sie die Speise, die Sie anbieten.
– Machen Sie Komplimente.

ÜBUNGEN

1 Aus dem Fotoalbum

a Was passt wo? Schreiben Sie die Wörter zu den Zeichnungen.

das Fleisch   das Brot   ~~das Brötchen~~   die Butter   das Ei   der Fisch   das Gemüse   der Kaffee

die Kartoffeln   der Käse   der Kuchen   die Marmelade   das Müsli   die Nudeln   das Obst

der Orangensaft   der Reis   der Salat   der Schinken   der Tee   das Wasser   die Wurst

das Brötchen

b Essgewohnheiten – Schreiben Sie Sätze.

1. für mich / gehören / zu einem guten Frühstück / Müsli / Kaffee / und / .

Zu einem *guten Frühstück gehören für mich Kaffee und Müsli.*

2. esse / gerne / ich / zu Mittag / einen Salat / oder / eine Suppe / .

Ich

3. die wichtigste Mahlzeit / für mich / ist / das Abendessen / .

Das Abendessen

4. wichtig / beim Essen / für mich / ist / , // dass / schmeckt / es / gut / .

Beim

5. selten / es / bei mir / Fisch / gibt / , // weil / sehr teuer / ist / das / .

Bei mir

2 Vor 50 Jahren und heute

a Ergänzen Sie *können*, *wollen*, *müssen* oder *dürfen* im Präteritum.

Ich (1) *musste* immer pünktlich zum Essen kommen. Wenn ich die Suppe nicht essen

(2) *w*, dann gab es keine Nachspeise. Meine Schwester und ich (3) *d* beim Essen

nicht laut sein. Wenn wir fertig waren, (4) *m* wir am Tisch sitzen bleiben. Wir

(5) *d* erst gehen, wenn unser Vater fertig war. Nach dem Essen (6) *m* ich in der

Küche helfen. Aber das Essen war meistens gut: Meine Mutter (7) *k* wirklich gut kochen.

b Ein Bericht von Jonas – Unterstreichen Sie die Verben. Schreiben Sie sie in die Tabelle.

> Meine Oma <u>erzählte</u> mir, wie es früher <u>war</u>. Wie fast alle Frauen ging auch die Mutter meiner Oma nicht zur Arbeit. Die Frauen blieben zu Hause und sorgten für die Familie. Jeden Tag kochten sie das Essen. Die Kinder halfen in der Küche. Beim Essen saßen alle um den Tisch, aber nur die Erwachsenen sprachen. Man aß oft Kartoffeln und einfache Sachen. Es gab nicht oft Fleisch, nur am Sonntag. „Uns machte das Essen keinen richtigen Spaß", sagte die Oma.

> Lernen Sie die ☺ unregelmäßigen Verben mit allen drei Formen: *gehen – ging – ist gegangen*

Regelmäßige Verben *lernen – lernte – gelernt*	Unregelmäßige Verben *kommen – kam – gekommen*
erzählen –	sein – war – (ist) gewesen,

3 Jonas hat nachgefragt.

a Welche Form passt? Markieren Sie.

Gestern (1) gab/gabt es nach der Arbeit ein Picknick. Leider (2) wusste/wusstest ich es nicht. Antonin

(3) sagtet/sagte, dass es sehr schön war. Ich (4) fragten/fragte ihn, warum er nicht angerufen hat. Er

(5) dachte/dachtet, dass ich es weiß und keine Zeit habe. Viele Kolleginnen und Kollegen (6) kam/kamen.

b Schreiben Sie die Verben im Präteritum.

Heute Nacht (1) _hatte_ (haben) Lena einen verrückten Traum.

Sie (2) .... (besuchen) ein großes Fest. Viele Leute

(3) .... (stehen) in einem schönen Garten. Alle

(4) .... (trinken) einen grünen Saft, der wunderbar

(5) .... (schmecken). Die Leute (6) .... (reden)

und (7) .... (lachen). Dann (8) .... (setzen)

sich alle Gäste an einen langen, langen Tisch. Viele Kellner (9) .... (stellen) das Essen auf

den Tisch, aber Lena (10) .... (bekommen) nichts. Sie (11) .... (wissen) nicht

warum und (12) .... (fragen) einen Kellner. Aber der Kellner (13) .... (holen)

kein Essen für Lena. Lena (14) .... (ärgern) sich und wollte gehen. Aber sie

(15) .... (können) nicht aufstehen. Da (16) .... (werden) Lena wach.

4 Zu Gast bei Freunden

a **Was passt zusammen? Ordnen Sie zu.**

1. Die Vorspeise schmeckt ja toll! Wie hast du die gemacht? War das schwer?
2. Ist da Milch oder Sahne dabei?
3. Schade, das darf ich leider nicht essen.
4. Du musst mir unbedingt das Rezept geben. Das möchte ich auch machen.
5. Eigentlich esse ich keine Nachspeisen, aber das sieht so gut aus. Aber nur ein kleines Stück, bitte.

a) Ja, ich habe beides verwendet.
b) Ich habe es aus dem Internet. Ich schick dir den Link.
c) Nimm dir doch selbst. Du weißt am besten, wie viel du magst.
d) Das weiß ich nicht. Ich habe sie so auf dem Markt gekauft.
e) Ich habe nicht gewusst, dass du allergisch gegen Milchprodukte bist.

🎧 1.57 **b** **Lesen Sie das Gespräch und ergänzen Sie die Lücken. Hören Sie zur Kontrolle.**

● Wer möchte noch etwas (1) Fl<u>e i s c h</u> und Reis? Es ist (2) ge_ _ _ da.

○ Vielen Dank, es (3) sch_ _ _ _ _ sehr gut. Aber ich bin (4) wirk_ _ _ _ satt.

● Und Sie? (5) Mö_ _ _ _ _ Sie nicht noch ein (6) biss_ _ _ _ von beidem?

◐ Ich (7) ne_ _ _ noch ein wenig, weil es so (8) le_ _ _ _ ist. Aber nicht viel, bitte.

● Ich hole jetzt die (9) Nach_ _ _ _ _ _ _ . Möchten Sie vielleicht (10) ei_ _ _ Kaffee dazu?

◐ Ja, gerne. Nach einem so guten (11) E_ _ _ _ _

mag ich das gerne.

● Und für Sie auch einen (12) Ka_ _ _ _ ?

○ Nein danke. So spät am (13) Ab_ _ _ trinke ich keinen

Kaffee mehr.

● Nur einen (14) Mo_ _ _ _ bitte. Ich bin gleich wieder da.

🚑 Hilfe? – Hören Sie zuerst und ergänzen Sie dann die Lücken.

c **Das Abendessen bei Freunden – Bringen Sie den Text in die richtige Reihenfolge.**

.... „Du hast ja richtig Hunger", sagte Eva. Sie nahm meinen Teller und gab mir eine zweite große Portion. Die aß ich dann aber ganz langsam!

.... Eva deckte dann den Tisch und wir setzten uns.

.... Als ich zu ihnen kam, stand Ariel noch in der Küche. „Ich habe heute auf dem Markt Fisch gekauft. Das magst du doch!" – „Ja, klar", sagte ich, aber eigentlich esse ich nicht so gerne Fisch.

_1_ Meine Freunde Eva und Ariel leben seit ein paar Jahren in Hamburg, deshalb sehe ich sie nicht oft. Aber letzte Woche war ich in Hamburg und sie haben mich zum Abendessen eingeladen.

.... Die Nachspeise war dann wirklich gut, aber ich war schon so satt!

.... Ariel stellte einen großen Topf auf den Tisch: Fischsuppe. Ich bekam einen großen Teller voll. Ariel wünschte noch „Guten Appetit!".

.... Die Fischsuppe sah nicht gerade schön aus. Ich begann zu essen. Es schmeckte mir nicht wirklich, aber das wollte ich nicht zeigen. Und ich aß ziemlich schnell.

5 So essen die Deutschen.

a Was sagen die Leute? Was ist richtig: *deshalb* oder *trotzdem*? Markieren Sie.

1. Zu Mittag esse ich meistens nichts, deshalb/trotzdem habe ich am Abend richtig Hunger.

2. Frisches Obst ist ziemlich teuer, deshalb/trotzdem habe ich immer Obst zu Hause.

3. Fettes Essen ist nicht gesund, deshalb/trotzdem genießen es viele Menschen.

4. Meine Freundin kann sehr gut kochen, deshalb/trotzdem schmecken ihre Speisen sehr gut.

5. Frisch gekochtes Essen ist gesünder, deshalb/trotzdem sind Fertiggerichte sehr beliebt.

6. Kochen und gut essen sind meine Hobbys, deshalb/trotzdem nehme ich mir viel Zeit fürs Essen.

7. Ich kann nicht gut kochen, deshalb/trotzdem mache ich einen Kochkurs.

🎧 1.58 **b Ein Gespräch zwischen den Kollegen Johanna, Angelika und Matthias – Hören Sie das Gespräch und kreuzen Sie an: richtig oder falsch?**

	R	F
1. Johanna mag den Salat in der Kantine.	☒	☐
2. Manche Speisen waren in der alten Kantine richtig gut.	☐	☐
3. Angelika findet es gut, mittags im Büro zu essen.	☐	☐
4. Wenn man jeden Tag in der Kantine isst, dann ist es ziemlich teuer.	☐	☐
5. Die Kinder von Johanna sind über Mittag nicht gerne im Hort.	☐	☐
6. Matthias isst am liebsten Fleisch vom Grill.	☐	☐
7. Matthias überlegt, mehr Salat und häufiger vegetarisch zu essen.	☐	☐

c Wie essen Sie? Schreiben Sie sechs Sätze über sich. Verwenden Sie die Ausdrücke.

… ist für mich wichtig

ich ernähre mich …

ich finde, Essen muss …

ich esse oft/selten/nie …

ich kann … kochen

wichtig ist, dass …

1. Beim Essen ist der Geschmack für mich sehr wichtig, deshalb …

6 Gesund essen – Ein Workshop in der Firma

a Thema Ernährung – Suchen Sie zwölf Wörter. Schreiben Sie die Wörter, die Nomen mit Artikel.

BANO**GESUNDHEIT**ANGEBIWOHLBEFINDENRRNENEPESSVERHALTENTERBEMUN

GESUNDÜSESILFETTSSPIABWECHSLUNGSREICHNATROPERNÄHRUNGLAUORTO

FERTIGGERICHTMENAKTIVPASPEISEAUBEZULEBENSMITTELGINEMAHLZEITR

1. *die Gesundheit*

2.

3.

4.

5.

6.

7.

8.

9.

10.

11.

12.

b Ergänzen Sie die Verben.

Die Teilnehmer am Workshop lernen, wie sie sich gesund

(1) ____ernähren____ können. Sie (2) ....

auch Tipps, was sie in ihrem Alltag ändern

können. Wichtig ist, sich für das Essen Zeit zu

(3) .... Es ist nicht gut, nur

schnell einen Kaffee zu (4) ....

Man (5) .... eine richtige Pause, um sich zu erholen. Man muss nur ein paar Dinge anders

(6) ...., dann kann man sich gleich besser (7) .... Dazu gehört, dass man

nicht zu viel Fleisch und Fett (8) .... Vorsicht bei Salz und Zucker: weniger (9) ....

gesünder. Sparen Sie nicht bei Obst und Gemüse. Das ist gut für die Gesundheit.

brauchen • erhalten • ~~ernähren~~ • essen • fühlen • machen • nehmen • sein • trinken

7 Gesund essen – Eine kurze Präsentation

a Feedback zu einer Präsentation – Welches Feedback passt zu welchem Tipp? Ordnen Sie zu.

1. Ich konnte nicht alles verstehen, weil du deinen Text schnell vorgelesen hast.
2. Ich habe nicht alles verstanden, weil du zu leise gesprochen hast. Das war anstrengend für mich.
3. Das Thema war interessant, aber du hast nur gesprochen. Man hat nichts gesehen.
4. Du hast viele Zahlen und Daten genannt. Das war nicht leicht.
5. Du hast gut über das Thema gesprochen. Du hast aber nicht mit uns gesprochen.

a) Verwende ein paar Bilder. Es macht mehr Spaß beim Zuhören, wenn man auch etwas sieht.
b) Es ist wichtig, dass man die Zuhörer immer wieder ansieht.
c) Sprich so laut und deutlich, dass dich alle gut verstehen.
d) Eine Präsentation muss man frei sprechen. Du darfst nicht alles vorlesen.
e) Bring nicht zu viele Informationen. Verwende lieber ein paar schöne Beispiele.

♪ 1.59 **b** Aussprache: Sie hören eine kurze Präsentation. Wo macht die Person Pausen? Markieren Sie mit | .

Hallo und guten Morgen! | Ich möchte heute über gesunde Ernährung sprechen. Meine Präsentation hat

drei Teile. Der erste Punkt ist: Was ist das überhaupt, gesunde Ernährung? Dann sage ich etwas über

Veränderungen: „Gesundes Essen" ist ein aktuelles Thema. Damit kann man Geld verdienen. Ich gebe da

auch ein Beispiel. Zum Schluss spreche ich noch über Probleme,

die durch gesunde Ernährung entstehen können. Ja, wirklich,

die gibt es auch! Ich komme gleich zum ersten Punkt.

„Gesunde Ernährung": Was ist das? Was weiß man heute über

gesunde Ernährung?

♪ 1.59 **c** Hören Sie die Präsentation noch einmal. Sprechen Sie halblaut mit.

d Lesen Sie die Stichpunkte. Wie wollen Sie sie präsentieren? Schreiben Sie zu jeder Folie drei Sätze. Verwenden Sie die Ausdrücke aus 7b und 7c auf Seite 53.

Gesund essen im Alltag

Arbeit und gesunde Ernährung – das muss kein Gegensatz sein

Herzlich willkommen!

Begrüßen Sie die Zuhörer. Stellen Sie das Thema vor.

Hallo, das Thema meiner Präsentation ist:

1. Gesunde Ernährung beginnt beim Einkaufen: Obst
2. Abwechslungsreiche Ernährung
3. sich Zeit nehmen für Kochen und Essen

Stellen Sie kurz den Inhalt vor.

WORTBILDUNG: zusammengesetzte Wörter (Komposita II)

a Ergänzen Sie die Artikel. Was ist im zusammengesetzten Wort anders? Markieren Sie.

die Tomate   *der* Salat
der Tomatensalat

.... Obst   .... Kuchen
.... Obstkuchen

.... Mittag   .... Pause
.... Mittagspause

.... Schwein   .... Fleisch
.... Schweinefleisch

Das letzte Wort ist das Grundwort. Es bestimmt den Artikel.

b Was ist kein/keine …? Streichen Sie die Wörter, die nicht passen.

Essen — das Festessen • ~~der Esslöffel~~ • das Lieblingsessen • das Abendessen

Salat — der Obstsalat • das Salatbesteck • der Kartoffelsalat • der Nudelsalat

Speise — die Speisekarte • die Vorspeise • die Hauptspeise • die Nachspeise

Suppe — die Nudelsuppe • der Suppenteller • die Kartoffelsuppe • die Gemüsesuppe

RICHTIG SCHREIBEN: Abkürzungen

Was bedeuten die Abkürzungen? Schreiben Sie die Wörter zur passenden Abkürzung.

das heißt   vor allem   die Nummer   die Telefonnummer   ~~und so weiter~~   zum Beispiel

1. usw. *und so weiter*
2. z. B.
3. v. a.
4. d. h.
5. Tel.
6. Nr.

Bei Abkürzungen, die man mit Punkt schreibt, spricht man ganze Wörter.

Mein Deutsch nach Kapitel 4

Das kann ich:

über Essgewohnheiten sprechen

Frühstück? Abendessen? Zu Mittag?

Ein besonderes Gericht?

Die wichtigste Mahlzeit?

Fragen und antworten Sie.

- Was gehört für dich zu einem guten Frühstück?
- Zum Frühstück gehören …

Veränderungen beschreiben

in der Küche helfen | um sechs aufstehen

am Sonntag Kuchen | zu Mittag essen um zwölf

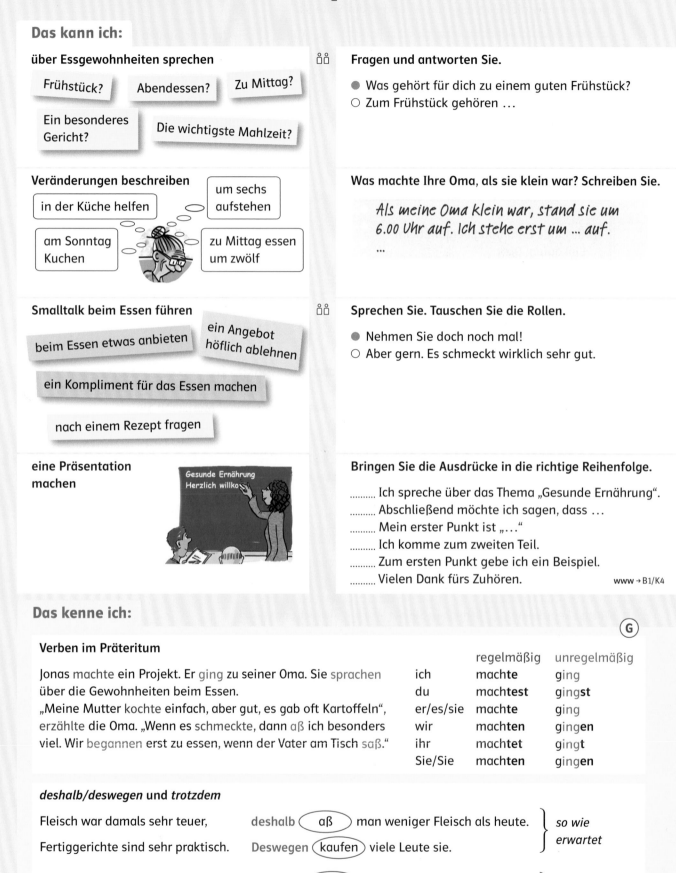

Was machte Ihre Oma, als sie klein war? Schreiben Sie.

> Als meine Oma klein war, stand sie um 6.00 Uhr auf. Ich stehe erst um … auf.
> …

Smalltalk beim Essen führen

beim Essen etwas anbieten | ein Angebot höflich ablehnen

ein Kompliment für das Essen machen

nach einem Rezept fragen

Sprechen Sie. Tauschen Sie die Rollen.

- Nehmen Sie doch noch mal!
- Aber gern. Es schmeckt wirklich sehr gut.

eine Präsentation machen

Gesunde Ernährung Herzlich willko...

Bringen Sie die Ausdrücke in die richtige Reihenfolge.

.... Ich spreche über das Thema „Gesunde Ernährung".
.... Abschließend möchte ich sagen, dass …
.... Mein erster Punkt ist „…"
.... Ich komme zum zweiten Teil.
.... Zum ersten Punkt gebe ich ein Beispiel.
.... Vielen Dank fürs Zuhören.

www → B1/K4

Das kene ich:

(G)

Verben im Präteritum

Jonas machte ein Projekt. Er ging zu seiner Oma. Sie sprachen über die Gewohnheiten beim Essen.
„Meine Mutter kochte einfach, aber gut, es gab oft Kartoffeln", erzählte die Oma. „Wenn es schmeckte, dann aß ich besonders viel. Wir begannen erst zu essen, wenn der Vater am Tisch saß."

	regelmäßig	unregelmäßig
ich	machte	ging
du	machtest	gingst
er/es/sie	machte	ging
wir	machten	gingen
ihr	machtet	gingt
Sie/Sie	machten	gingen

deshalb/deswegen und trotzdem

Fleisch war damals sehr teuer, deshalb (aß) man weniger Fleisch als heute. } so wie erwartet

Fertiggerichte sind sehr praktisch. Deswegen (kaufen) viele Leute sie. } so wie erwartet

Viele fette Speisen sind nicht gesund, trotzdem (sind) sie bei vielen Leuten beliebt. } anders als erwartet

Thomas konnte nicht gut kochen. Trotzdem (kochte) er sehr gern. } anders als erwartet

[G]

HALTESTELLE

1 Kennen Sie D-A-CH?

a Kennen Sie Feste zu Essen oder Getränken in D-A-CH? Sammeln Sie.

> Ich war einmal auf einem Kürbisfest. Da ...

b Jede Gruppe liest einen Text und schreibt Fragen dazu auf Zettel. Die Gruppen tauschen die Zettel und beantworten die Fragen. Dann geben sie die Zettel zurück und kontrollieren, ob die Antworten stimmen.

(A) Das Bundesland Tirol ist für seine Berge bekannt. Hier kann man sehr gut wandern und Ski fahren. Weniger bekannt ist, dass man in der Umgebung von Innsbruck viel Gemüse anbaut. Wenn es im Frühling endlich wieder die ersten frischen Radieschen gibt, feiert man in der kleinen Stadt Hall in Tirol das Radieschenfest. Hier kann man viele leckere Speisen mit Radieschen probieren. Der Bürgermeister eröffnet das Fest, mit dabei ist auch die Radieschenprinzessin. Weil es ein Volksfest ist, gibt es sogar Freibier für alle. Und die Musik darf natürlich auch nicht fehlen!

(B) In der Obstanbauregion Werder an der Havel in der Nähe von Potsdam feiert man schon seit über hundert Jahren Ende April / Anfang Mai das Baumblütenfest. Am Abend vor der offiziellen Eröffnung gibt es den Baumblütenball. Da gibt die Baumblütenkönigin des letzten Jahres die Krone an die neue Baumblütenkönigin weiter. Und dann kann man eine Woche lang Obstwein bei verschiedenen Obstbauern probieren. Außerdem gibt es ein Volksfest mit Karussell und Zuckerwatte für die Kinder, Musik, Essen und Konzerte. Zum Abschluss gibt es am Sonntagabend dann ein großes Feuerwerk.

(C) Lange Zeit waren die Esskastanien, auch Maroni genannt, in der Südschweiz das Essen der armen Leute. Aber seit einiger Zeit sind die Esskastanien wieder „in". Jetzt pflegt man die Kastanienwälder wieder und feiert immer Anfang Oktober in Ascona das Kastanienfest. Die Einheimischen bereiten für ihre Gäste mehr als 2000 Kilo Kastanien über dem Feuer zu. Außerdem bieten sie an verschiedenen Markständen leckere Produkte aus Kastanien an, zum Beispiel Marmelade, Kuchen oder Desserts. Nachmittags gibt es auch noch Konzerte.

> *Wann feiert man das Fest?*
> Im Frühling.

> *Wo ist das Fest?*
> In der Südschweiz.

c Vergleichen Sie die drei Feste. Was ist ähnlich, was ist bei den einzelnen Festen besonders?

> Bei allen drei Festen gibt es Musik.

d Gibt es solche oder ähnliche Feste in Ihrer Kultur? Tauschen Sie sich aus.

> Bei uns in Russland feiert man vor der Fastenzeit Masleniza. Da ...

2 Schreiben – Eine schöne Erinnerung aus meiner Kindheit

Schreiben Sie einen Text wie im Beispiel. Sie können die Satzanfänge aus dem Kasten verwenden.
Sammeln Sie die Texte ein, ziehen Sie einen Text und suchen Sie die Person, die den Text geschrieben hat.

Als ich ein Kind war, sind wir jeden Sonntag in ein Gasthaus zum Mittagessen gegangen. Damals mochte ich Pommes sehr gern. Ich habe mich immer schon die ganze Woche auf die leckeren Pommes gefreut! Der Kellner war sehr nett zu mir und hat mir immer eine riesige Portion gebracht. Aber ich erinnere mich noch genau, wie er einmal nicht da war und ich nur eine kleine Portion bekommen habe. Deshalb war ich ganz traurig. Meine Tante, die auch dabei war, hat das gemerkt. Sie hat mir dann zum Trost ein Eis zum Nachtisch bestellt.
Das hat mich total gefreut!

Als ich ein Kind war …
Einmal durfte ich …
Früher mochte ich …
Ich erinnere mich noch genau, wie
   mein Opa / meine Oma mit mir …

3 Spielen und wiederholen

a Schreiben Sie in fünf Minuten so viele obwohl-Sätze wie möglich zu den Hauptsätzen. Lesen Sie die Sätze vor und entscheiden Sie im Kurs: Stimmen die Sätze? Das Paar, das die meisten richtigen Sätze hat, gewinnt.

Er hat keine Kreditkarte, …
Sie lebt gern in Deutschland, …
Ich esse viel Gemüse, …
Wir feiern ein Fest, …

Er hat keine Kreditkarte, obwohl er schon lange in
Deutschland ist.
obwohl …
…

b Wortfelder füllen – Wählen Sie ein Wortfeld (Frühstück oder Obst/Gemüse) und schreiben Sie so viele Wörter wie möglich in das Bild. Stellen Sie dann Ihr Wortfeld einer Gruppe vor, die das andere Wortfeld gewählt hat.

der Kaffee

die Orange, –n

TESTTRAINING

P DTZ
P telc
P Goethe/ÖSD

1 Lesen – Anzeigen

→ Lesen Sie zuerst die Situationen genau. Lesen Sie dann die Anzeigen. Achten Sie auf ähnliche Ausdrücke in den Situationen und in den Anzeigen, zum Beispiel: *Firma + feiern – Betriebsfeste*.

→ Achtung, manchmal gibt es in zwei Anzeigen ähnliche Angebote, aber nur eine Anzeige passt genau, zum Beispiel: *Firmenfeier in einem Restaurant* oder *Lieferservice für Firmenfeiern*.

→ Sie können jede Anzeige nur einmal verwenden.

→ Sie finden für eine Situation nicht schnell eine Anzeige? Machen Sie mit der nächsten Situation weiter!

→ Vergessen Sie nicht: Zu einer Situation passt keine Anzeige!

So sieht die Aufgabe in der Prüfung aus:

Lesen Sie die Situationen 1–5 und die Anzeigen A–H. Finden Sie für jede Situation die passende Anzeige. Für eine Aufgabe gibt es keine Lösung. Markieren Sie in diesem Fall ein X.

1 Ihren Betrieb gibt es jetzt seit 50 Jahren. Die Chefin will das an einem Freitagabend feiern und hat Sie gebeten, für 60 Personen ein Lokal in der Stadt zu suchen.

2 Sie haben 15 Nachbarn eingeladen. Sie möchten einen kleinen Imbiss bestellen, der nicht viel kostet.

3 Sie möchten am Sonntag mit Freunden frühstücken gehen. Sie möchten gerne draußen sitzen, aber nicht direkt in der Sonne.

4 Sie möchten mit einem Kollegen, der kein Fleisch isst, am Montag zu Mittag essen gehen. Sie haben sehr wenig Zeit.

5 Sie suchen ein Lokal für den Geburtstag Ihres Sohnes (8 Jahre) mit 10 Kindern am Montagnachmittag. Die Kinder wollen sich auch draußen bewegen.

A
Rheinstuben – Ihr Restaurant am Fluss!
Genießen Sie mit uns den Frühling! Essen und trinken Sie auf unserer großen Sonnenterrasse am Fluss oder in unserem Innenhof unter Bäumen! Jeden Freitag großes Salatbüffet.
Wir haben täglich von 9 bis 15 Uhr geöffnet.
Für Reservierungen: kontakt@rheinstuben.com

B
Sie feiern – wir liefern!
Ob Hochzeit, Geburtstag, Jubiläum oder Firmenfeier: Der exklusive Partyservice *Menu de luxe* liefert zu Ihnen nach Hause oder in die Firma:
Komplette Büffets oder Menus, ab 20 € pro Person. Auf Wunsch liefern wir Ihnen auch das Geschirr und organisieren Personal für Sie!

C
Das Veggie-Paradies
Es geht auch ohne Fleisch! Wir kochen und backen für Sie von Montag bis Freitag zwischen 8 und 18 Uhr: Salate, Suppen, Hauptgerichte, Kuchen und Desserts. Wir machen alles immer ganz frisch. Bitte haben Sie Verständnis, wenn Sie bei uns ein bisschen länger warten müssen – es lohnt sich!

D
Café am See
Die Eltern entspannen sich auf der Terrasse, während die lieben Kleinen auf unserem Spielplatz toben!
Selbst gemachte Torten und Kuchen, eine große Auswahl an selbst gemachtem Eis, auch für Veganer!
Öffnungszeiten: Montag bis Freitag von 14 bis 19 Uhr, Samstag, Sonn- und Feiertag von 14 bis 20 Uhr

E
RESTAURANT BACHMEIER
Das Traditionsrestaurant direkt am Marktplatz!
Wir bieten Ihnen zwei große Geräume, ein separates Raucherzimmer sowie einen großen Raum für private Feiern oder Betriebsfeste mit bis zu 100 Gästen.
Täglich ab 18 Uhr, Gästeparkplatz vorhanden.

F
Highlight – das schicke Lokal mitten in der City!
Genießen Sie auf unserer neu renovierten Dachterrasse ein Frühstück in der Sonne und den freien Blick über die ganze Innenstadt!
Unser Angebot im Mai: Sonntags Brunch für die ganze Familie!

G
China-Restaurant zur goldenen Ente
Bei uns bekommen Sie eine große Auswahl an vegetarischen Gerichten sowie Fisch- und Fleischgerichten.
Montag bis Freitag zwischen 11 und 14 Uhr Businesslunch: Suppe und Hauptgericht für 6,50 Euro.
Wir garantieren: Sie haben Ihr Essen in 15 Minuten!

H
Zum Auwald
Ihr Ausflugsrestaurant auf dem Land!
Frischer Fisch, Kaffee und Kuchen, große überdachte Terrasse! Bushaltestelle vor dem Lokal, 30 Min. Fahrzeit ab Stadtmitte.
Dienstag bis Sonntag ab 14 Uhr, Montag geschlossen.

2 Sprechen – Über sich sprechen

a Lesen Sie die Informationen. Stellen Sie sich vor und erzählen Sie etwas über sich.

So sieht die Aufgabe in der Prüfung aus:

Name
Geburtsort
Wohnort
Arbeit / Beruf
Familie
Sprachen

So können Sie üben:

→ Schreiben Sie etwas über sich zu den Punkten links auf Deutsch. Sie müssen nicht zu jedem Punkt etwas schreiben, aber schreiben Sie mindestens sechs Sätze. Das Beispiel in Aufgabe 2b hilft Ihnen.

→ Bitten Sie jemanden, Ihren Text zu korrigieren. Lesen Sie Ihren Text laut.

→ Legen Sie dann Ihren Text weg und üben Sie, frei zu sprechen.

⚠ In der Prüfung müssen Sie frei sprechen!

🎧 1.60 **b** Zu welchen Wörtern von oben passen die Sätze? Ordnen Sie zu. Hören Sie dann zur Kontrolle.

...... *Wohnort* .... Jetzt wohne ich schon seit drei Jahren in Dortmund. Ich bin zusammen mit meiner Familie nach Dortmund gekommen, weil mein Mann hier eine Arbeit gefunden hat.

.... Wir haben einen kleinen Sohn. Er ist vier Jahre alt und geht hier in den Kindergarten.

.... In Tunesien habe ich eine Ausbildung als Fotografin gemacht, aber leider gibt es in diesem Beruf jetzt wenig Arbeit. Wenn ich besser Deutsch kann, möchte ich vielleicht noch eine Ausbildung machen.

.... Ich heiße Basma Marzouki. Basma heißt: Die Frau, die lächelt. Deshalb mag ich meinen Namen.

.... Mit meinen Eltern habe ich immer Arabisch gesprochen. In der Schule habe ich Französisch gelernt und jetzt lerne ich noch Deutsch.

.... Ich bin in Tunesien geboren. Meine Stadt heißt Gabes. Sie liegt am Meer.

👥 **c** Nach der Vorstellung stellt der Prüfer / die Prüferin Ihnen noch eine oder zwei Fragen. Üben Sie mit diesen Fragen.

Was bedeutet Ihr Name?   Wie wohnen Sie jetzt und wie haben Sie früher gewohnt?

Wo liegt Ihr Geburtsort genau?   Was finden Sie an Ihrer Arbeit gut, was nicht?

Warum haben Sie diesen Beruf gewählt?   Wie gefällt es Ihnen da, wo Sie jetzt wohnen?

Haben Sie Geschwister?   Welche Sprache sprechen Sie mit Ihren Eltern / Ihren Kindern?

Wo leben Ihre Eltern?   Welche Sprache möchten Sie noch lernen? Warum?

> Sie finden eine Frage zu privat? Dann sagen Sie: „Entschuldigung, diese Frage möchte ich nicht beantworten, die finde ich zu privat. Bitte stellen Sie mir eine andere Frage."

Jetzt verstehe ich das!

5

1 Ist das ein Problem?

a **Um welche Frage geht es in den Zeichnungen? Ordnen Sie zu.**

1. Welche Sprache spricht man mit wem?
2. Was zieht man für die Arbeit an?
3. Wie pünktlich muss man sein?

4. Darf man im Bus / auf der Straße laut niesen?
5. Wann packt man Geschenke aus?

b **Wo sehen Sie ein Problem? Sprechen Sie.**

> Die Frau kommt zu spät zum Unterricht. Der Lehrer findet das nicht gut. Ich denke ...

🎧 2.02 **c** **Anton und Tanja sprechen über kulturelle Missverständnisse. Hören Sie den Dialog. Um welche vier Fragen aus 1a geht es?**

> Zuerst geht es um die Frage, welche Sprache man mit wem spricht. Dann ...

d **Haben Sie schon ähnliche Situationen erlebt? Erzählen Sie.**

> Ich war einmal in ... Da ...

Sprechen über Sprachenlernen sprechen; sich nach Regeln erkundigen; Tipps zum Sprachenlernen geben; jemanden beruhigen; über Tabus und interkulturelle Unterschiede sprechen | **Hören** Interview über Sprachenlernen | **Schreiben** Blog mit Tipps; Sprachprofil | **Lesen** Texte über Erfolgserlebnisse/Missverständnisse; Artikel über Tabus | **Beruf** Probleme in der Arbeit

2 So viele Sprachen!

a Länder und Sprachen – Welche mehrsprachigen Länder kennen Sie? Welche Sprachen spricht man da? Sammeln Sie im Kurs.

> Schweiz: Deutsch, Französisch, Italienisch, Rätoromanisch
> Nigeria: ...

🎧 2.03–05
👥 **b** Hören Sie drei Gespräche. Wer benutzt wann und wo welche Sprache? Arbeiten Sie zu dritt. Notieren Sie Informationen zu einer Person. Berichten Sie dann in der Gruppe.

Ina Canale

(A)

in der Schule:
....

mit der Oma:
....

mit Mama und Papa:
....

mit Freundinnen:
....

John Obinna

(B)

in der Familie:
Igbo

mit Freunden in Nigeria:
Yoruba oder

in der Arbeit:
....

beim Einkaufen und auf Ämtern:
....

Gabriel Favre

(C)

beim Fernsehen:
....

in der Familie:
....

mit Freunden in der Schweiz:
....

an der Universität:
....

👥 **c** Welche Sprachen benutzen Sie wann und wo? Erzählen Sie.

> Zu Hause sprechen wir ...   In der Arbeit ...

d Das sind meine Sprachen. Lesen Sie das Sprachprofil und kreuzen Sie an: richtig oder falsch?

Ulima Hemidi

Ich komme aus Syrien. Meine Muttersprache ist Arabisch. In der Schule habe ich Englisch und ein bisschen Französisch gelernt. Nach der Schule habe ich ein Jahr bei meiner Tante in Paris gelebt. Deshalb spreche ich jetzt sehr gut Französisch, aber ich kann nicht so gut schreiben.
Jetzt lebe ich mit meinem Mann zusammen seit zwei Jahren in Deutschland. Seit vier Monaten lerne ich in einem Intensivkurs Deutsch an der Volkshochschule. Später möchte ich gerne in einem Hotel arbeiten. Viele Touristen hier sprechen nur Englisch, deshalb möchte ich dann auch noch meine Englischkenntnisse verbessern.

	R	F
1. Ulima hat in der Schule zwei Fremdsprachen gelernt.	☐	☐
2. Sie ist schriftlich sehr gut in Französisch.	☐	☐
3. Ulima hat in Frankreich einen Kurs besucht.	☐	☐
4. Später möchte sie mit internationalen Gästen arbeiten.	☐	☐

UND SIE?

Schreiben Sie Ihr Sprachprofil. Hängen Sie es im Kurs auf. Lesen Sie die Sprachprofile und suchen Sie Gemeinsamkeiten im Kurs.

K5-1 **3 Ich möchte besser Deutsch lernen.**

a Was haben Sie beim Deutschlernen schon ausprobiert? Sammeln Sie zuerst gemeinsam auf Kärtchen und sprechen Sie dann: Was hat Ihnen geholfen, was war schwer?

| Wortschatz auf Kärtchen notieren | wichtige Sätze auswendig lernen | zu zweit lernen |

Hast du einen Tipp? Ich muss in der Arbeit oft Deutsch sprechen und mache zu viele Fehler!
09:05 ✓ Sofia

Hör dir mal das Interview an, das ist sehr interessant. Viel Erfolg!
Maria 09:08 ✓

b Lesen Sie die WhatsApp-Nachrichten. Warum möchte Sofia besser Deutsch lernen? Was würden Sie ihr empfehlen?

🎧 2.06 **c** Hören Sie das Interview mit Frau Dr. Guber. Was empfiehlt sie zum Sprachenlernen? Kreuzen Sie an.

1. Aufgaben im Internet machen ◻
2. chatten ◻
3. Wörter mit Beispielsätzen lernen ◻
4. Sprach-Apps nutzen ◻
5. Fehler korrigieren lassen ◻
6. mit Lernpartner üben ◻
7. Lerngruppen bilden ◻
8. deutsche Videos ansehen ◻
9. mit Karteikarten lernen ◻

d Lesen Sie die E-Mail von Sofia. Wie möchte sie in Zukunft Deutsch lernen? Sprechen Sie.

Liebe Maria,
vielen Dank für deinen Tipp. Das Interview war sehr interessant und ich habe neue Ideen bekommen. Jetzt bin ich entschlossen, beim Lernen einiges zu ändern: Ich werde eine Tandempartnerin suchen, damit ich öfter die Gelegenheit zum Deutschsprechen habe. Wenn ich sie bitte, werden meine Kollegen hoffentlich bereit sein, mich zu verbessern. Außerdem habe ich beschlossen, endlich wichtige Sätze für die Arbeit auf Kärtchen zu notieren, weil ich sie auf diese Art besser lernen kann. Ich werde mir auch eine App herunterladen. Und Anton und ich werden oft deutsche Filme ansehen und deutsche Lieder hören. Wenn ich etwas nicht verstehe, wird er mir helfen. Super, oder? Was meinst du?
Viele Grüße
Sofia

e Markieren Sie die Formen von *werden* in 3d und ergänzen Sie die Tabelle. (G)

FOKUS Futur mit *werden*

Ich __werde__ mir eine App herunterladen.
Anton _____ mir helfen.
Wir _____ zusammen deutsche Filme ansehen.

werden

ich _____	wir _____
du wirst	ihr werdet
er/es/sie _____	sie/Sie werden

f Schreiben Sie Sätze.

ich / unsere Lehrerin / ihr / du / wir / die Kursteilnehmer / …

werde / wirst / …

feiern / abnehmen / gut Deutsch sprechen / Deutsch lernen / Urlaub machen / eine Prüfung bestehen / …

Wir werden nächste Woche Urlaub machen.

UND SIE?

Sprechen Sie über die Vorschläge in 3c. Was möchten Sie (nicht) ausprobieren? Warum?

Ich werde eine Sprach-App ausprobieren, weil ich gern etwas mit dem Handy mache.

4 Das habe ich gut geschafft!

a Lesen Sie die Forumsbeiträge. Welche Erfolgserlebnisse hatten die Personen?

Forum Sprachenlernen 　　　Suche

Sprachenlernen macht Spaß? Erzähl uns von deinen Erfolgserlebnissen!

sofiakul
Mir macht das Deutschlernen Spaß, seit ich mich mit Deutschen in ihrer Muttersprache unterhalten kann. Es ist eine tolle Herausforderung, die Sprache anzuwenden. Manchmal muss ich mich anstrengen, bis ich etwas richtig verstehe. Aber eigentlich haben alle Verständnis, wenn ich nachfrage. Seitdem wir in Deutschland wohnen, kommt das immer seltener vor!

Sven89
Letzte Woche war ich ziemlich stolz! Ich habe mich im Zug zufällig mit einer Deutschen unterhalten und sie hat nicht gemerkt, dass ich aus Schweden komme! Seitdem mir das passiert ist, habe ich keine Angst mehr vor dem Sprechen.

Malik
Gestern hatte ich mein erstes Vorstellungsgespräch auf Deutsch, weil Deutsch Voraussetzung für die Stelle ist! Ich war total ängstlich und nervös, bis ich endlich an der Reihe war. Alle waren dann aber sehr nett und freundlich. Als das Gespräch angefangen hat, ging meine Nervosität zum Glück allmählich weg und ich hatte keine Probleme, alle Fragen zu beantworten. Der Chef hat danach gesagt, dass ich schon sehr gut Deutsch spreche. Da war ich wirklich zufrieden 😊!

Ulf
Mein englischer Nachbar hat Geburtstag gefeiert und alle haben Englisch gesprochen. Auf deutschen Festen erzähle ich oft Witze, aber auf Englisch habe ich mich noch nie getraut. Auf dem Fest hatten alle so gute Laune, da habe ich dann auch Witze auf Englisch erzählt – und alle haben gelacht. Seit ich das gemacht habe, fragt mich mein Nachbar immer, wenn er Langeweile hat, ob ich einen neuen Witz habe!

---

b Lesen Sie die Beiträge noch einmal. Zu wem passen die Sätze?

	Sofia	Sven	Malik	Ulf
1. … hat eine sehr gute Aussprache.	☐	☐	☐	☐
2. … versteht schon viel, wenn sich Deutsche unterhalten.	☐	☐	☐	☐
3. … erzählt auch auf Englisch lustige Sachen.	☐	☐	☐	☐
4. … hat vor einem Gespräch Angst gehabt.	☐	☐	☐	☐
5. … muss nicht mehr oft nachfragen, was etwas auf Deutsch bedeutet.	☐	☐	☐	☐
6. … hat ein Kompliment für seine/ihre Sprachkenntnisse bekommen.	☐	☐	☐	☐

c Markieren Sie die Nebensätze mit *seit/seitdem* und *bis* in 4a und ergänzen Sie die Tabelle.

Ⓖ

FOKUS 　　Temporale Nebensätze mit *seit/seitdem* und *bis*

Ich habe keine Angst mehr, ... mir das passiert ist.

Ich war nervös, ... ich an der Reihe war.

seit: ⊢――――――――→

bis: ――――――――→⊣

> *Seit* und *bis* können 😊 auch Präpositionen sein:
> *Seit der Zugfahrt habe ich keine Angst mehr.*
> *Bis Freitag haben wir Kurs.*

d Schreiben Sie die Sätze zu Ende.

1. Seit ich Deutsch lerne, …
2. Bis die Lehrerin kommt, …
3. Seitdem wir zusammen im Kurs sind, …
4. Bis die Stunde zu Ende war, …

UND SIE?

Welche Erfolgserlebnisse hatten Sie schon? Sprechen Sie. Bilden Sie auch Sätze mit *seit* und *bis*.

5 Am Anfang ist es schwer.

a Ein Bekannter von Ihnen hat eine Stelle in Deutschland gefunden. Was ist wahrscheinlich anders als in Ihrem Land? Sprechen Sie in Kleingruppen.

Nähe/Distanz   Höflichkeit   Gespräche mit Kollegen   offen über Fehler sprechen   …

> In meinem Land berühren sich Freunde viel öfter als in …

> Ein Kuss zur Begrüßung ist bei uns …

b Sehen Sie die Bilder an. Was passiert da? Ist das in Ihrem Land anders? Was sind die Unterschiede?

Ⓐ Ⓑ Ⓒ

2.07   **c** Hören Sie das Gespräch zwischen Maria und ihrem Kollegen. Welches Bild aus 5b passt? Was findet Maria ungewöhnlich?

2.07   **d** Hören Sie noch einmal. Welche Redemittel hören Sie? Kreuzen Sie an.

- ☐ Tut mir leid, das habe ich nicht gewusst.
- ☐ Kann man das hier machen? …
- ☐ Darf man hier …?
- ☐ Wie ist das in … üblich?
- ☐ Ist es in Ordnung, wenn ich …?
- ☐ Kann ich fragen, ob …

2.08   **e** Aussprache: Aussagesatz als Frage – Hören Sie die Sätze und notieren Sie das passende Satzzeichen. Sind es Fragen (?) oder Aussagen (.)?

1. In Deutschland kann der Chef später kommen**?**

2. Beim Essen fangen alle gleichzeitig an_

3. Unter Kollegen duzt man sich schnell_

4. Deutsche sind immer direkt_

5. Man schaut sich nicht in die Augen_

6. Sie arbeitet noch nicht lange in der Firma_

2.09   **f** Hören Sie alle Aussagesätze als Fragen. Sprechen Sie mit.

UND SIE?

Wie ist es bei Ihnen? Wählen Sie zwei Stichpunkte aus 5a und sprechen Sie.

> In meinem Heimatland darf man niemanden kritisieren. Man muss immer Respekt zeigen.

> Das ist bei uns auch so. Man spricht nicht offen über Fehler, im Gegenteil – man lobt nur.

> Bei uns ist es unhöflich, wenn …

6 Alles halb so schlimm!

a Lesen Sie Antons Beitrag. Was für ein Problem hat er in der Arbeit?

Frage von
AKula 10:56

Ich habe ein Problem und ich hoffe, ihr könnt mir helfen. Mein Chef ist sauer auf mich, seit ich etwas Blödes gesagt habe. Er ist eigentlich total nett und mir gefällt es gut in der Firma, aber letzte Woche war ich irgendwie genervt und habe in der Mittagspause mit meiner Kollegin über ihn gesprochen. Dann habe ich auch noch gesagt, dass ich bald meine eigene Firma aufmachen werde. Und plötzlich bemerke ich, dass er neben uns steht und mich ganz erschrocken und beleidigt anschaut. Ich habe es doch gar nicht ernst gemeint – wie kann ich das beweisen?

b Lesen Sie die Tipps. Welchen Tipp finden Sie am besten für Anton? Warum?

gast47 20:59

Das kann doch jedem passieren! Du solltest das nächste Mal aufpassen, wo dein Chef ist, wenn du über ihn sprichst 😉. Probier doch mal, mit deiner Kollegin zu reden, vielleicht kann sie mit dem Chef sprechen und ihn beruhigen?

gonter 21:23

Alles halb so schlimm, lieber Anton! Dein Chef hat bestimmt nur Angst, dass du bald kündigst. Du müsstest einfach zu ihm gehen und dich ernsthaft entschuldigen. Dann verzeiht er dir sicher! Du willst ja deine Stelle behalten und das müsste er auch direkt von dir erfahren. Mit klarer Kommunikation löst man Konflikte 😊! Das schaffst du, da bin ich ganz optimistisch.

sunny 22:04

Mach dir bloß keine Sorgen! An deiner Stelle würde ich mich beim Chef entschuldigen. Übrigens: Einen Fehler darf sich jeder einmal leisten! Aber wenn dein Chef so wenig tolerant reagiert, solltest du dir doch überlegen, ob du nicht lieber deine eigene Firma gründen willst!

c Welche Tipps würden Sie Anton geben? Sprechen Sie zu viert. Einer ist Anton, die anderen sind Freunde.

Tipps geben	beruhigen
Probier doch mal, …	Mach dir bloß keine Sorgen.
Du solltest/könntest/müsstest …	Alles halb so schlimm.
An deiner Stelle würde ich …	Jeder macht mal einen Fehler.
Du solltest dir überlegen, …	Keine Sorge/Angst/Panik.
Wenn ich dir einen Rat geben darf: …	Das kann doch jedem passieren.

(G)

müssen

ich	müsste
du	müsstest
er/es/sie	müsste
wir	müssten
ihr	müsstet
sie/Sie	müssten

d Arbeiten Sie zu zweit. Wählen Sie ein Problem und schreiben Sie je einen Beitrag wie in 6b.

Mein Kollege macht oft lange Mittagspausen und arbeitet dafür am Abend länger. Mittags bekommt er viele Anrufe, die ich beantworten muss. Deshalb habe ich weniger Zeit für meine eigene Arbeit.

Meine Nachbarn sind im Urlaub und ich habe ihre Blumen gegossen. Eine Pflanze ist heruntergefallen. Jetzt ist ein großer Fleck auf dem Teppich. Heute kommen meine Nachbarn zurück.

UND SIE?

Ist Ihnen auch schon etwas passiert, das Ihnen peinlich war? Wie haben Sie das Problem gelöst? Wählen Sie.

Privatleben   **oder**   Arbeit

Ja, mir ist einmal Folgendes passiert: … Ich habe mich gleich entschuldigt, aber …

7 Darüber spricht man (nicht) ...

a Über welche Themen sprechen Sie mit wem? Kreuzen Sie an und tauschen Sie sich aus.

	mit Familien-angehörigen	mit Freunden	mit Kollegen	mit Unbekannten auf einer Party
Sport				
Krankheiten				
Geld				
Wetter				
Politik				
Kinderwunsch				
Urlaub				
Religion				

b Lesen Sie den Text. Welche Themen aus 7a kommen vor?

Ups ... falsches Thema!

Über welche Themen man in Deutschland spricht – und über welche besser nicht.

James versteht es einfach nicht: Er ist auf der Party eines Arbeitskollegen; gerade hat er sich noch so nett mit seiner neuen Bekannten unterhalten – aber auf einmal ist sie weggegangen. Jetzt
5 redet sie mit einem anderen Gast. Dabei hat er sie nur gefragt, was sie verdient. In seinem Land ist es üblich, dass man sagt, was man in welchem Job so verdienen kann – hier in Deutschland offenbar nicht? Merkwürdig ...
10 Ähnlich geht es Mukta aus Indien. Sie ist auch völlig neu in Deutschland und hat eben ihre Kollegin, die sie erst ganz kurz kennt, gefragt: „Möchtest du eigentlich mal Kinder haben?" Die Kollegin hat nur ausweichend geantwortet und dann augenblicklich
15 das Thema gewechselt. Und auf einmal war sie weg. Mukta findet das seltsam. In Indien kann man das auch Leute fragen, die man kaum kennt.
Die beiden hatten Pech – sie haben genau die

Themen angesprochen, die in Deutschland in der
20 Öffentlichkeit tabu sind. Die Deutschen reden sehr gerne über das Wetter, über den Urlaub oder über Sport. Geld und die Frage, warum man (keine) Kinder möchte, finden dagegen die meisten Deutschen zu privat. Über Geld wird praktisch nur
25 in der Familie gesprochen und über den Kinderwunsch höchstens mit Verwandten und sehr engen Freunden.
Mit Freunden kann man auch über Krankheiten, Religion oder Politik sprechen. Diese Themen ver-
30 meidet man aber besser beim Smalltalk.
Zurück zu James und Mukta. Sie treffen sich am Büffet, und James fragt: Wie findest du das Essen hier? Ein Thema, mit dem man wohl in kaum einer Kultur auf der Welt etwas falsch machen kann!
35 Sie amüsieren sich sehr gut, und so ist der Abend schließlich für beide doch noch gerettet ...

c Welche Themen sind in Ihrer Kultur üblich, was ist tabu? Vergleichen Sie mit den Informationen im Artikel und tauschen Sie sich aus.

VORHANG AUF

Wählen Sie eine Situation und spielen Sie einen Dialog.

Ⓐ Missverständnisse
Ein Missverständnis zwischen Kulturen oder ein sprachliches Missverständnis.

Ⓑ Eine Fremdsprache lernen
Ihre Nachbarin möchte Ihre Muttersprache lernen.

Ⓒ Probleme in der Arbeit
Jemand hat Probleme in der Arbeit. Geben Sie Tipps.

ÜBUNGEN

1 Ist das ein Problem?

🎧 2.10 **a** Hören Sie den Dialog aus dem Kursbuch noch einmal und kreuzen Sie an: ⓐ, ⓑ oder ⓒ?

1. Tanja
   ⓐ spricht gut Russisch.
   ⓑ bietet Anton Kaffee an.
   ⓒ ist nicht mehr böse auf Anton.

2. Tanjas Freundin
   ⓐ arbeitet in einer großen Firma.
   ⓑ ist schon lange in der Firma.
   ⓒ war nicht schick genug angezogen.

3. Tanjas Eltern
   ⓐ sind rechtzeitig zu der Einladung gekommen.
   ⓑ haben das Geschenk vergessen.
   ⓒ essen zu Hause immer ohne Besteck.

b Schreiben Sie die Wörter richtig. Ergänzen Sie bei Nomen die Artikel.

1. SONANTG   *der Sonntag* ....
2. KIUDNN   ....
3. PZUETN   ....
4. ASPUCKAEN   ....
5. LSEIE   ....
6. GBSTAGEERIN   ....
7. SKICHC   ....
8. JAENS   ....
9. ONNRDUG   ....
10. PÜLCKNTIH   ....

c Ergänzen Sie die Wörter aus 1b.

1. ● Muss man Blumen (1) *auspacken* ....?

   ○ Ja, man muss das Papier wegmachen, bevor man die Blumen der (2) .... gibt.

2. ● Meine Kollegin hat mich am (3) .... um drei Uhr zum Kaffeetrinken eingeladen.
Wann sollte ich dort sein?

   ○ Am besten bist du (4) .... um drei Uhr dort.

3. ● Ich muss morgen zu einer wichtigen (5) .... Kann ich da in
(6) .... hingehen?

   ○ Nein, du musst auf jeden Fall eine (7) .... Hose anziehen.

4. ● Kann ich mir bei Tisch die Nase (8) ....?

   ○ Ja, das ist in Deutschland in (9) ...., aber machen Sie es so
(10) .... wie möglich.

2 So viele Sprachen!

a Ergänzen Sie die Tabelle.

Land	Mann	Frau	Sprache(n)
Deutschland	der Deutsche	die Deutsche	Deutsch
Österreich		die Österreicherin	
die Schweiz	der Schweizer		Deutsch, Italienisch, Französisch, Rätoromanisch
Italien			
Frankreich	der Franzose	die Französin	
Polen			Polnisch
Russland		die Russin	
die Türkei	der Türke		
Syrien	der Syrer		Arabisch
Brasilien		die Brasilianerin	Portugiesisch
Ihr Land:			

die Syrerin • der Italiener • die Italienerin • Französisch • Italienisch • die Türkin • die Türkin • Türkisch • der Österreicher • der Russe • der Pole • Deutsch • die Polin • der Brasilianer • Türkisch • die Türkin • die Türkin • der Österreicher • Russisch

b Ordnen Sie zu und schreiben Sie Sätze. Manchmal gibt es mehrere Möglichkeiten.

Ich konnte schon drei Sprachen sprechen,

Meine Eltern sprechen nicht gut Deutsch,

Ich finde es wichtig,

Ich konnte nur meine Muttersprache sprechen,

Jetzt lerne ich Deutsch,

damit
bevor
dass
deshalb
als

sprechen wir in der Familie nur Türkisch.

ich nach Deutschland kam.

ich in Deutschland arbeiten kann.

man ein bisschen Englisch sprechen kann.

ich vier Jahre alt war.

Ich konnte schon drei Sprachen sprechen, als ich vier Jahre alt war.

c Ergänzen Sie den Text.

Ich komme aus Po l e n . Meine Mutterspr _ _ _ _ ist Poln _ _ _ _ _. In d_ _ Schule ha_ _ ich Englisch und Deu_ _ _ _ _ gelernt. Jetzt stud_ _ _ _ _ ich an der Europa-Universität in Frankfurt an d_ _ Oder Wirtschaft. Meine Ku_ _ _ _ sind zum Teil a_ _ Deutsch und zum Te_ _ auf Polnisch. Aber i_ _ _ muss auch viele engl_ _ _ _ _ _ Bücher le_ _ _ _. Nächstes Ja_ _ _ möchte ich in England studieren, we_ _ ich glaube, dass he_ _ _ _ Englisch i_ Beruf se_ _ _ wichtig ist. Mein Fre_ _ _ _ kommt a_ _Frankreich. Des_ _ _ _ _ _ möchte ich jetzt au_ _ _ noch Franzö_ _ _ _ _ _ lernen. Da_ _ _ vers_ _ _ _ ich seine Familie, wenn w_ _ sie in Frank_ _ _ _ _ _ besuchen.

3 Ich möchte besser Deutsch lernen.

a Tipps zum Sprachenlernen – Sehen Sie die Bilder an und überlegen Sie Tipps.

• mit Karteikarten lernen • mit Liedern lernen • mit Tandempartner üben • Sprach-Apps nutzen • Filme auf Deutsch ansehen • Lerngruppen bilden

b Schreiben Sie die Tipps im Imperativ in der *du*- und *ihr*-Form.

> 1. Übe mit einem Tandempartner! / Übt mit einem Tandempartner!

c Ergänzen Sie *werden*.

1. Ich __werde__ mir öfter Filme auf Deutsch ansehen.

2. .... du in einem Jahr mehr Deutsch mit mir sprechen?

3. Sofia .... bald wieder einen Sprachkurs machen.

4. Wir .... oft Lieder mit deutschen Texten anhören.

5. .... ihr meine Fehler auch wirklich verbessern?

6. Die Kursteilnehmer .... Lerngruppen bilden, weil man zusammen besser lernen kann.

P

d Lesen Sie den Text und schließen Sie die Lücken 1 bis 10. Benutzen Sie die Wörter a bis o. Jedes Wort passt nur einmal. Schreiben Sie unten die Zahlen zu den Buchstaben.

> Man lernt eine Sprache am besten, wenn man zusammen etwas Schönes macht!
> Deshalb gibt es ab sofort im Stadtteilcafé ein neues Kursangebot:
>
> ### Zusammen kochen und dabei besser Deutsch sprechen lernen!
>
> Beginn: 4. Mai · mittwochs von 18 bis 20 Uhr · Kosten: pro Abend 3 Euro
> Anmeldung: mara_schilling@stadtteilcafe.de

Liebe Frau Schilling,

ich habe Ihre Anzeige in der Stadtteilzeitung gelesen und interessiere mich sehr ___1___ Ihr Angebot. Ich lebe ___2___ einem Jahr in Deutschland. ___3___ mache ich einen Deutschkurs, ___4___ ich finde es wichtig, noch mehr das Sprechen zu üben. ___5___ möchte ich gerne bei Ihrem Kurs mitmachen.

Ich habe noch ein ___6___ Fragen an Sie: Meine deutsche Nachbarin kocht ___7___ sehr gerne. ___8___ sie auch teilnehmen? Außerdem möchte ich vorschlagen, dass wir ___9___ Woche ein Gericht aus einem anderen Land kochen. Und zum Schluss noch eine letzte Frage: ___10___ ist der Kurs zu Ende?

Mit freundlichen Grüßen

Romain Tirard

.... a aber	.... d deshalb	.... g jede	.... j paar	.... m wann
.... b alle	.... e einige	.... h kann	.... k seit	.... n wenn
.... c auch	.... f für	.... i muss	.... l vor	.... o zurzeit

4 Das habe ich gut geschafft!

a Ergänzen Sie.

sich unterhalten   Spaß   ~~selten~~   Aussprache   verstehen   übersetzen
        brauchen   sich trauen   Witze

Liebe Mia,

in meiner letzten E-Mail habe ich dir noch erzählt, wie (1) _selten_................. ich die Chance

habe, Deutsch zu sprechen. Aber gestern habe ich (2) .... endlich

........................., meine Nachbarin zum Kaffee einzuladen. Und stell dir vor, wir haben

(3) .... über zwei Stunden ....! Regina, so heißt die

Nachbarin, hat mir ganz viele deutsche (4) .... erzählt. Dann habe ich

ein paar spanische Witze für sie ins Deutsche (5) .... Wir haben so gelacht!!

Regina hat gesagt, dass sie meine (6) .... sehr gut findet und mich sehr gut

(7) .... Das Beste ist aber: Regina will im Sommer nach Spanien in Urlaub

fahren und möchte gerne ein bisschen Spanisch lernen. Sie will nur das lernen, was sie für

die Reise (8) ....

Jetzt treffen wir uns einmal pro Woche und machen ein Sprachtandem – und haben ganz viel

(9) ....! Ich hoffe, bei dir gibt es auch gute Nachrichten, schreib mir bald mal

wieder!

Consuelo

b Ergänzen Sie seit oder bis.

1. _Seit_......... ich mit meiner Tandempartnerin zusammen lerne, spreche ich schon viel besser.

2. Ich möchte noch ein schönes spanisches Lied suchen, ... wir uns das nächste Mal treffen.

3. .... sie nach Spanien fährt, hat sie noch genug Zeit, um ein paar wichtige Ausdrücke zu lernen.

4. .... sie meine Aussprache korrigiert, spreche ich noch besser.

5. Ich muss noch viel Schreiben üben, ... ich meine E-Mails auf Deutsch beantworten kann.

c Ergänzen Sie die Sätze frei.

1. Seit ich ...., ...

2. Bis ich ...., ...

5 Am Anfang ist es schwer.

a Was passt? Markieren Sie.

1. Darf man der Chefin einen Fehler direkt geben/sagen?

2. Kann man ältere Kollegen duzen/wissen?

3. Ist es üblich/stolz, Unbekannte mit einem Kuss zu begrüßen?

4. Muss man beim Essen auf die anderen ansehen/warten?

5. Ist es in Ordnung / ein Fehler, wenn ich bei einem Geschäftsessen keinen Alkohol trinke?

6. Kann ich denken/fragen, ob ich ein vegetarisches Essen bekommen kann?

7. Darf/Will man hier mit den Fingern essen?

b Aussprache: Rückfragen. Hören Sie und unterstreichen Sie die betonten Wörter.

1. In die Augen? Wirklich?   3. Die Hand?   5. Ganz direkt?
2. Ganz pünktlich?   4. Um acht? Bist du sicher?

c Hören Sie die Aussagen noch einmal und sprechen Sie die Rückfragen.

6 Alles halb so schlimm!

a Ergänzen Sie *müssen* im Konjunktiv II.

● Ich bin immer so im Stress! Ich (1) *müsste*

endlich mal weniger arbeiten.

○ Du (2) .... mit deiner Chefin sprechen.

Sie (3) .... einfach mehr Leute anstellen,

ihr habt zu viel Arbeit.

● Stimmt, wir arbeiten alle zu viel. Ja, wir (4) ....

ihr wirklich sagen, dass es so nicht weitergeht.

○ Genau, ihr (5) .... alle zusammen mit ihr reden. Ach, und ich arbeite auch zu viel ...

● Die Chefs (6) .... endlich verstehen, dass Arbeit nur das halbe Leben ist, nicht das ganze!

b Schreiben Sie Tipps in der *Sie*-Form. Verwenden Sie den Konjunktiv II.

1. ● Ich habe Ärger mit meiner Chefin, weil ich diese Woche schon dreimal zu spät gekommen bin!
   Aber meine Tochter ist krank! Was soll ich tun?
   ○ an Ihrer Stelle / mich entschuldigen (*würde*-Form) / .

   An Ihrer Stelle würde ich mich entschuldigen.

   ○ ihr / die Situation / erklären / müssen / Sie / .

   ....

2. ● Ich muss jede Woche Überstunden machen und kann nicht mehr! Haben Sie einen Tipp für mich?
   ○ mit dem Betriebsrat sprechen / Sie / sollen / .

   ....

   ○ an Ihrer Stelle / mit dem Chef / sprechen (*würde*-Form) / .

   ....

   ○ Sie / eine andere Stelle / suchen / können / .

   ....

c Welche Reaktion ist freundlicher? Kreuzen Sie an: ⓐ oder ⓑ? Hören Sie zur Kontrolle.

1. Meine Kollegin grüßt mich nicht mehr, seit ich auf dem Sommerfest mit ihrem Mann getanzt habe.
   ⓐ Das ist doch egal!   ⓑ Du solltest sie fragen, was los ist.
2. Gestern habe ich eine wichtige Datei gelöscht.
   ⓐ Das ist mir noch nie passiert!   ⓑ Jeder macht mal einen Fehler!
3. Der Chef ist zurzeit oft so unfreundlich.
   ⓐ Mach dir keine Sorgen, er ist einfach gerade im Stress!   ⓑ Finde ich nicht.
4. Ich habe so viel Arbeit! Ich schaffe das einfach nicht!
   ⓐ Wirklich? Also, ich schaffe meine Arbeit gut!   ⓑ Ich helfe dir gerne!

7 Darüber spricht man (nicht) ...

a Lesen Sie den Text auf Seite 71 noch einmal. Kreuzen Sie an: ⓐ oder ⓑ?

1. ⓐ James hat gesagt, wie viel er verdient.
   ⓑ James hat seine Bekannte nach ihrem Gehalt gefragt.
2. ⓐ Muktas Kollegin möchte nicht über Kinder sprechen.
   ⓑ Mukta und die Kollegin arbeiten schon lange zusammen.
3. ⓐ Das Wetter ist ein gutes Gesprächsthema auf Partys.
   ⓑ In Deutschland spricht man gerne über Geld.
4. ⓐ Mit Unbekannten kann man über Krankheiten sprechen.
   ⓑ Fußball ist immer ein gutes Thema.

b Ein Bekannter hat einige Fragen zu Ihrem Land. Antworten Sie ihm.

Liebe / Lieber ...
wie du weißt, werde ich bald einige Wochen in deinem Land arbeiten.
Jetzt habe ich ganz viele Fragen und freue mich sehr, wenn du sie mir
beantwortest: Wie ist das Wetter im Winter? Welche Kleidung braucht man?
Und wie ist das Essen?
Und was ist sonst noch wichtig? Hast du vielleicht Tipps für private
Einladungen? Wann soll man kommen, wie ist es mit Geschenken,
was muss man sonst noch beachten?
Und gibt es sonst noch etwas, was ich wissen sollte? Danke dir schon jetzt!
Viele Grüße
Marius

WORTBILDUNG: Adjektive als Nomen

Unterstreichen Sie die Adjektive, die hier Nomen sind.

clara 2000	Ich mache jetzt einen Online-Sprachkurs.
	Das <u>Tolle</u> ist: Ich kann lernen, wann ich will.
	Das Freie daran, das gefällt mir.
kaffeetante	Das wäre nichts für mich. Ich finde den direkten
	Kontakt immer noch am besten. Mein Lehrer ist
	ein ganz Netter. Und er ist so geduldig! Und das
	Schönste an einem Sprachkurs ist doch, dass man
	danach noch zusammen ins Café gehen kann!

> Adjektive können – wie 😊
> Verben – zu Nomen werden.
> Es steht dann kein Nomen
> hinter den Adjektiven. Sie
> haben auch Endungen und
> man schreibt sie groß:
> *der Beste, das Schöne, die Gute
> ein Netter, eine Schlaue*

RICHTIG SCHREIBEN: Groß- und Kleinschreibung bei Sprachen

Groß oder klein? Was ist richtig? Markieren Sie.

1. Gestern habe ich einen englischen/Englischen Film gesehen.
   Ich wollte ihn unbedingt auf Englisch/englisch sehen, weil ich
   gerade englisch/Englisch lerne.
2. Meine amerikanische/Amerikanische Freundin sagt, dass
   mein Englisch/englisch jetzt schon viel besser ist. Weil ich ganz
   viele englische/Englische Lieder höre, kann ich jetzt so gut
   englisch/Englisch, dass wir inzwischen auf englisch/Englisch
   skypen können. Nur wenn ich ein wichtiges englisches/
   Englisches Wort nicht verstehe, frage ich meine Freundin:
   „Wie heißt das auf Deutsch/deutsch?"

> **groß: als Nomen** 😊
> *Wie heißt das auf Deutsch?
> Ich kann/lerne/verstehe Deutsch.
> Meine Muttersprache ist Deutsch.
> Sie spricht gut Deutsch.
> Er kann kein Wort Deutsch.*
>
> **klein: als Adjektiv**
> *... die deutsche Sprache,
> deutsche Filme, ...*

Mein Deutsch nach Kapitel 5

Das kann ich:

über interkulturelle
Unterschiede sprechen

Fragen und antworten Sie.

● Muss man bei euch die Schuhe ausziehen, bevor man
in eine Wohnung geht?
○ Ja, das machen wir so. Und ihr?
● Wir …

über den eigenen Sprachgebrauch sprechen

Ergänzen Sie die Sätze. Tauschen Sie sich dann aus.

Mit meinen Eltern spreche ich …
In der Schule habe ich … gelernt.
Beim Einkaufen spreche ich …
Auf Ämtern …
Später möchte ich noch …

über Erfolgserlebnisse beim Sprachenlernen
sprechen

beim Einkaufen   im Sprachkurs

mit deutschen
Nachbarn   Aussprache   deutsche
Witze

**Welche Erfolgserlebnisse hatten Sie schon beim
Deutschlernen? Tauschen Sie sich aus.**

Ich war letzte Woche bei meinen Nachbarn. …

---

sich nach Regeln
erkundigen

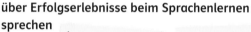

**Sprechen Sie über Regeln in Ihrem Land und in
Deutschland.**

Bei uns ist es in Ordnung, wenn man zu einer
Einladung noch andere Leute mitbringt. Wie ist
das in Deutschland?

Tipps geben und jemanden beruhigen

Es ist 20:30 Uhr. Ihr
Kollege sitzt immer
noch am Schreib-
tisch und hat noch
sehr viel Arbeit.

Ihre Kollegin hat
sich die Bluse mit
Tomatensaft
schmutzig
gemacht.

Schreiben Sie
passende Sätze
zu den
Situationen.

An Ihrer Stelle würde ich …
Machen Sie sich keine Sorgen …
Sie sollten sich überlegen, …
…

www → B1/K5

Das kenne ich:

Ⓖ

Futur mit *werden*

ich	werde lesen		wir	werden lesen
du	wirst lesen		ihr	werdet lesen
er/es/sie	wird lesen		sie/Sie	werden lesen

Konjunktiv II von *müssen*

ich	müsste		wir	müssten
du	müsstest		ihr	müsstet
er/es/sie	müsste		sie/Sie	müssten

Temporale Nebensätze mit *seit/seitdem* und *bis*

Ich habe keine Angst mehr, seit/seitdem mir das (passiert) ist.   Ich war nervös, bis ich an der Reihe (war).

seit: |———————————▶

bis: ———————————▶|

Ⓖ📖

Im Krankenhaus

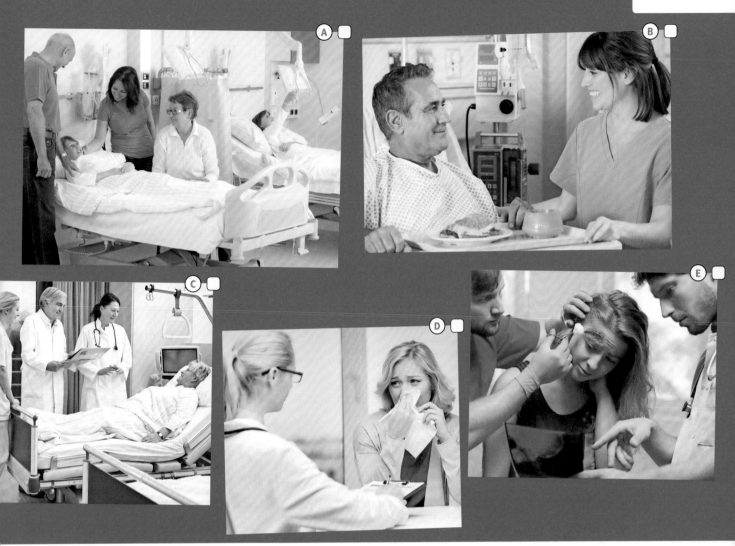

K6-1 **1 Im Krankenhaus**

a Sehen Sie die Bilder an. Wählen Sie eine Situation. Was geschieht? Sprechen Sie.

> Der Patient spricht mit …   < Der Arzt behandelt …

🎧 2.14 – 18 **b** Hören Sie fünf Gespräche. Ordnen Sie die Gespräche den Bildern zu.

🎧 2.14 – 18 **c** Hören Sie noch einmal. Was passt zu welcher Situation? Notieren Sie A bis E.

die Wunde reinigen und nähen ………   die Versichertenkarte ………   die Verletzung ………

allergisch sein gegen … ………   das Röntgenbild ………   es ist nichts gebrochen ………

eine Spritze geben ………   stürzen ………   die Überweisung ………

Untersuchungen machen ………   Schmerzen haben ………   keinen Appetit haben ………

viel besser aussehen ………   Medikamente nehmen ………   in der Nacht läuten ………

d Krankenhaus und Arzt – Welche Ausdrücke und Wörter kennen Sie noch? Sammeln Sie an der Tafel.

Sprechen einen Notfall melden; mit dem Arzt sprechen; über einen Unfall informieren; Gefühle/Ängste/Mitgefühl ausdrücken |
Hören Anruf beim Notarzt; Gespräch mit dem Arzt; Gespräche im Patientenzimmer | **Schreiben** Formular im Krankenhaus |
Lesen Texte über Gesundheitsberufe | **Beruf** Personal im Krankenhaus; Stationen im Krankenhaus

2 Ein Notfall

a **a** Was ist passiert? Arbeiten Sie zu fünft. Wählen Sie.

Jeder erzählt zu einem Bild, was da passiert.

Jeder schreibt zu seinem Bild zwei Sätze. Dann lesen alle ihre Sätze vor.

den Notruf anrufen   es gibt Glatteis   nicht stehen können   zu einem Kunden fahren   stürzen

Hilfe holen

das Material ins Haus tragen   die Leiter vom Dach holen   Schmerzen haben   sich am Bein verletzen

2.19 **b** Hören Sie den Anruf von Tanja. Was fragt der Mann vom Notruf? Nummerieren Sie die Fragen.

.... Hat er auch Verletzungen am Kopf?   .... Wann ist der Unfall passiert?

...1.... Notrufzentrale München. Kann ich Ihnen helfen?   .... Was ist genau passiert?

.... Mit wem spreche ich? Wie ist Ihr Name?   .... Welche Verletzungen hat Ihr Kollege?

.... Noch eine Frage: Wie ist Ihre Telefonnummer?   .... Wo sind Sie denn? Wo ist der Unfall passiert?

.... Ist er ansprechbar?

2.19 **c** Hören Sie noch einmal. Notieren Sie   *Rettungswagen schicken*
die wichtigsten Informationen von Tanja.

2.20 **d** Aussprache: Gleicher Konsonant am Wortende und am Wortanfang – Markieren Sie wie im Beispiel und
hören Sie dann.

1. nehmen.	Tabletten nehmen.	Sie müssen Tabletten nehmen.	Gleiche 😊 Konsonanten an Wortgrenzen spricht man nur einmal.
2. trinken.	Saft trinken.	Sie sollten diesen Saft trinken.	
3. lernen.	viel lernen.	Ein Arzt muss viel lernen.	
4. sagen?	etwas sagen?	Möchten Sie etwas sagen?	
5. mit dem Magen?	ein Problem mit dem Magen?	Haben Sie ein Problem mit dem Magen?	

2.20 **e** Hören Sie noch einmal und sprechen Sie nach.

f Den Notruf anrufen – Verwenden Sie die Fragen aus 2b. Spielen Sie Dialoge.

Grafstr. 7
Ein alter Mann, den Sie nicht kennen, ist auf der Straße gestürzt. Er blutet am Kopf.

Ein Kind hat sich in Ihrer Küche die Hand verbrannt.

3 In der Notaufnahme

2.21 **a** Lesen Sie die Fragen der Ärztin und ordnen Sie die Antworten zu. Hören Sie dann zur Kontrolle.

Ärztin Dr. Berger
1. Guten Tag, Herr Kulagin. Berger.
2. Was ist denn passiert, Herr Kulagin?
3. Und wo haben Sie Schmerzen?
4. Haben Sie sonst noch Schmerzen? Tut der Kopf auch weh?
5. Das weiß ich noch nicht. Wir müssen erst einmal ein Röntgenbild machen. Dann sehen wir weiter. Nur noch ein paar Fragen: Nehmen Sie Medikamente?
6. Haben Sie eine Allergie? Sind Sie allergisch gegen bestimmte Lebensmittel? Oder gegen Medikamente?
7. Das wissen wir noch nicht. Hatten Sie schon einmal eine Narkose, Herr Kulagin? Eine Operation? Und wenn ja, wann?

Patient Anton Kulagin
a) Das linke Bein tut weh. Ich kann nicht darauf stehen.
b) Guten Tag, Frau Doktor.
c) Nein, mir ist keine bekannt. Ich kann alles essen. Muss ich im Krankenhaus bleiben?
d) Ja, vor sieben oder acht Jahren. Da hatte ich einen Unfall und eine Operation an der Schulter.
e) Nein, nur das Bein. Ist es schlimm?
f) Nein, nicht regelmäßig. Ab und zu ein Schmerzmittel, wenn ich Kopfweh habe.
g) Ich wollte die Leiter vom Autodach herunternehmen und bin gestürzt.

b Füllen Sie das Formular für Anton Kulagin aus.

Familien-/Vorname		Geburtsdatum	13. Juni 1964
Krankenversicherung	☐ selbstständig ☐ angestellt	☐ arbeitslos	☐ mitversichert
Name der Versicherung	AOK München	Arbeitgeber: Malerei Buchholz, Neuhaching	
Unfall am	21. 01.	Uhrzeit: 7:40 Uhr	
Unfallort	Forstraße 27, Ottobrunn	Unfallart: ☐ privat	☐ Arbeitsunfall
Medikamente:		Einnahme wie oft:	
Allergien, Unverträglichkeiten:			
frühere Operationen:			

c Schreiben Sie Fragen für ein Interview mit Ihrem Partner / Ihrer Partnerin. Sprechen Sie dann. Sie müssen nicht alle Fragen beantworten, wenn Sie nicht möchten.

im Krankenhaus sein   Angst vor Spritzen haben   sich bei der Arbeit verletzen   zum Hausarzt gehen   eine Operation haben   den Notarzt holen   einen Unfall haben   gern zum Zahnarzt gehen   mit dem Rettungswagen fahren   ...

Hattest du schon mal eine Operation?   Darüber möchte ich nicht reden.

UND SIE?

Notieren Sie die Antworten auf diese Fragen.

1. Nehmen Sie regelmäßig Medikamente? Wenn ja, welche und wie oft am Tag?
2. Gibt es Lebensmittel, die Sie nicht essen dürfen (Unverträglichkeiten)?
3. Müssen Sie eine spezielle Diät einhalten?
4. Haben Sie Allergien? Sind Sie allergisch gegen a) Medikamente, b) Pflanzen oder c) Tierhaare? Wenn ja, gegen welche?
5. Welche Impfungen haben Sie bekommen? Sehen Sie in Ihrem Impfpass nach.

4 Bitte vergiss nichts.

a Herr Kulagin ruft seine Frau (F) und seinen Chef (C) an. Was sagt er zu wem? Ergänzen Sie den passenden Buchstaben.

(F) Bring mir eine weite Trainingshose mit.

Das Krankenhaus schickt die Krankmeldung direkt an euch.

Mach dir keine Sorgen, die Operation ist gut verlaufen.

Ich kann wahrscheinlich vier Wochen nicht zur Arbeit kommen.

Ich brauche ein paar Dinge, bitte vergiss nichts.

Bitte denk auch an meinen Laptop.

Wer hat meine Sachen von der Baustelle? Sind die bei Tanja?

b Wozu braucht Anton Kulagin diese Dinge? Ordnen Sie zu.

1. Anton braucht den Kulturbeutel,
2. Frau Kulagina soll Kopfhörer bringen,
3. Seine Frau soll eine Trainingshose mitbringen,
4. Er wünscht sich einen Laptop und DVDs,

a) damit er die Hose über den Gips anziehen kann.
b) um Filme zu sehen.
c) um sich waschen zu können.
d) damit er Musik hören kann.

c Markieren Sie in den Sätzen in 4b alle Subjekte. Ergänzen Sie dann die Sätze unten.

(G)

FOKUS   Zweck ausdrücken mit *damit* oder *um ... zu*

Hauptsatz	Nebensatz
Wozu braucht Anton den Kulturbeutel?	
<u>Anton</u> braucht den Kulturbeutel,	damit <u>er</u> (= Anton) sich waschen kann.
<u>Anton</u> braucht den Kulturbeutel,	um sich ....
<u>Er</u> wünscht sich einen Laptop und DVDs,	....
<u>Frau Kulagina</u> bringt Kopfhörer,	damit <u>Anton</u> ....

gleiches Subjekt: ☺
damit oder *um ... zu*

verschiedene Subjekte:
damit

d Wozu brauchen die Personen das im Krankenhaus? Bilden Sie Sätze mit *damit* und/oder *um ... zu*.

1. Ich brauche die Zeitung.
2. Anton braucht sein Handy.
3. Ich brauche meinen Laptop.
4. Herr Wegener braucht ein Schlafmittel.

Ich bin informiert.
Seine Frau erreicht ihn immer.
Mein Chef kann mir Mails schicken.
Er schläft besser.

1. Ich brauche die Zeitung, um informiert zu sein . / damit ich informiert bin.

UND SIE?

Schreiben Sie eine Frage mit *Wozu?* auf einen Zettel. Sammeln und mischen Sie die Zettel. Ziehen Sie einen Zettel und fragen Sie jemanden aus dem Kurs.

Wozu benutzt du dein Handy?

Wozu lernst du Deutsch?

Wozu geht Valentina zum Tanzkurs?

5 Ich habe Angst vor der Operation.

a Was sind die Vorteile und Nachteile von einem Mehrbettzimmer?

> Wenn ich mit anderen in einem Zimmer liege, schlafe ich schlecht.

> Ich finde es gut, weil …

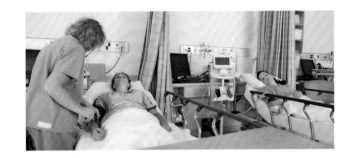

🎧 2.22 **b** Lesen Sie die Aufgaben. Hören Sie dann das Gespräch. Was ist richtig: ⓐ oder ⓑ?

1. Herr Schwab darf nichts essen,
   ⓐ weil er Diät macht.   ⓑ weil man ihn morgen operiert.

2. Herr Wegener hatte vor der Operation
   ⓐ auch Angst.   ⓑ keine Angst.

3. Herr Kulagin fühlt sich heute
   ⓐ besser als gestern.   ⓑ schlechter als gestern.

🎧 2.22 **c** Hören Sie noch einmal. Welche Sätze hören Sie? Markieren Sie.

> Ich habe Angst vor der Operation. • Ich fürchte mich vor der Narkose. • Das kann ich verstehen. •
>
> Das verstehe ich. • Ich habe Angst, dass ich noch lange hier bleiben muss. • Haben Sie Schmerzen? •
>
> Wie fühlen Sie sich heute? • Wie geht es Ihnen? • Das tut mir leid. • Was fehlt Ihnen? • Das wird schon. •
>
> Ja, das ist wirklich schlimm. • Fühlen Sie sich noch schwach?

d Ordnen Sie die Redemittel aus 5c zu und schreiben Sie die Sätze in Ihr Heft.

nach dem Befinden fragen	Wie geht es Ihnen? …
Angst ausdrücken	Ich habe Angst vor der Operation. …
auf Angst eingehen / Mitgefühl ausdrücken	Das wird schon. …

e Spielen Sie Gespräche im Patientenzimmer. Die Redemittel oben helfen.

       Ⓐ   Ⓑ   Ⓒ

Sie haben eine tiefe Wunde und bekommen einen Verband. Sie haben auch starke Schmerzen.

Sie haben morgen eine Operation am Magen. Sie haben Angst vor der Operation.

Sie haben einen Arm gebrochen und haben Angst, dass Sie nicht mehr Tennis spielen können.

6 Wir tun alles für Ihre Gesundheit.

a Arbeiten Sie zu viert. Jeder liest einen Text. Markieren Sie wichtige Informationen und tauschen Sie sich aus.

A Arzthelfer/in | In diesem Beruf arbeiten in Deutschland fast nur Frauen. Die Ausbildung dauert drei Jahre. Als Arzthelferin arbeitet man meistens in Arztpraxen und vereinbart z. B. Termine für die Sprechstunde. Man muss sich nicht nur um die Patienten kümmern, sondern auch den notwendigen „Papierkram" erledigen, wie z. B. Rechnungen schreiben.

B Physiotherapeut/in | Zu mir kommen Patienten, die zum Beispiel starke Rückenschmerzen haben, einen Unfall hatten oder im Rollstuhl sitzen. Ich mache Bewegungsübungen mit ihnen oder massiere sie manchmal. Als Physiotherapeut kann man in Kliniken, Praxen oder auch im Fitnesscenter arbeiten. Leider verdient man nicht so gut.

C Altenpfleger/in | In diesem Beruf muss man nicht nur körperlich fit, sondern auch psychisch stabil sein. Ältere hilfsbedürftige Menschen unterstütze ich z. B. bei der Körperpflege, beim Essen oder beim Anziehen. Ich begleite sie bei Arztbesuchen, versorge ihre Wunden und mache die Dokumentation.

D Gesundheits- und Krankenpfleger/in | Ich betreue die Patienten in Kliniken und assistiere den Ärzten bei den Untersuchungen. Daneben mache ich die Dokumentation und gebe den Patienten Spritzen und Medikamente oder wechsle Verbände. Die Arbeitszeiten sind leider nicht sehr familienfreundlich. Ich arbeite nicht nur im Schichtdienst, sondern auch am Wochenende und an Feiertagen.

3

b Welche Sätze treffen auf welchen Beruf zu? Notieren Sie den Buchstaben des Textes aus 6a.

.... 1. Er/Sie macht Übungen mit den Patienten.

.... 2. Er/Sie hilft den Ärzten in Krankenhäusern und gibt den Patienten Medizin.

.... 3. Er/Sie arbeitet meistens in Arztpraxen und erledigt viele Büroarbeiten.

.... 4. Er/Sie arbeitet im Seniorenheim oder betreut alte Leute zu Hause.

c Markieren Sie in den Texten in 6a die Konnektoren *nicht nur …, sondern auch* und ergänzen Sie dann die Sätze in der Tabelle.

(G)

FOKUS ausdrücken, dass zwei Sachen zutreffen: *nicht nur …, sondern auch*	
Ich arbeite im Schichtdienst.	Ich arbeite auch am Wochenende.
Ich arbeite .... im Schichtdienst,	sondern auch am Wochenende.
Man muss körperlich fit sein.	Man muss psychisch stabil sein.
Man muss nicht nur körperlich fit sein,	....

d Verbinden Sie die beiden Informationen. Schreiben Sie.

1. Als Physiotherapeut sollte man fit und geduldig sein.
2. Physiotherapeuten arbeiten in Kliniken und Privatpraxen.
3. Eine Altenpflegerin sollte hilfsbereit und zuverlässig sein.
4. Sie hilft alten Leuten beim Essen und bei der Körperpflege.

1. Als Physiotherapeut sollte man nicht nur fit, sondern auch geduldig sein.

7 Entschuldigung, wo ist die Entbindungsstation?

a Sehen Sie den Krankenhausplan an. Was kennen Sie? Sprechen Sie.

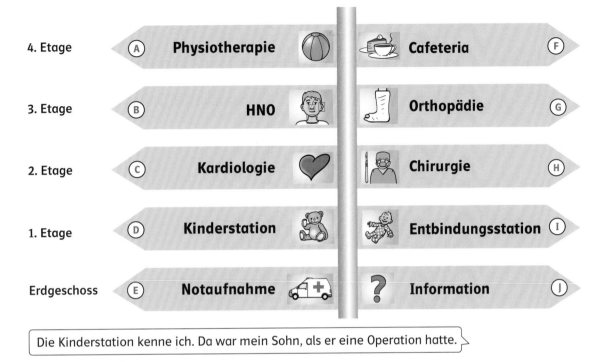

4. Etage	Ⓐ Physiotherapie	Cafeteria Ⓕ
3. Etage	Ⓑ HNO	Orthopädie Ⓖ
2. Etage	Ⓒ Kardiologie	Chirurgie Ⓗ
1. Etage	Ⓓ Kinderstation	Entbindungsstation Ⓘ
Erdgeschoss	Ⓔ Notaufnahme	Information Ⓙ

Die Kinderstation kenne ich. Da war mein Sohn, als er eine Operation hatte.

b Ordnen Sie die Sprechblasen den Stationen und Orten A bis J zu.

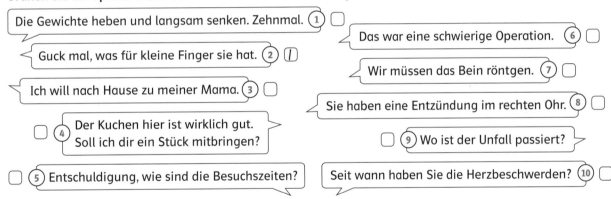

Die Gewichte heben und langsam senken. Zehnmal. ① ☐

Guck mal, was für kleine Finger sie hat. ② Ⓘ

Ich will nach Hause zu meiner Mama. ③ ☐

☐ ④ Der Kuchen hier ist wirklich gut. Soll ich dir ein Stück mitbringen?

☐ ⑤ Entschuldigung, wie sind die Besuchszeiten?

Das war eine schwierige Operation. ⑥ ☐

Wir müssen das Bein röntgen. ⑦ ☐

Sie haben eine Entzündung im rechten Ohr. ⑧ ☐

☐ ⑨ Wo ist der Unfall passiert?

Seit wann haben Sie die Herzbeschwerden? ⑩ ☐

c Wählen Sie.

Schreiben Sie zu einer Sprechblase einen Dialog und spielen Sie ihn vor.

 oder

Schreiben Sie zu jeder Situation eine zweite Sprechblase.

VORHANG AUF

Planen und spielen Sie Dialoge zu den Situationen.

Sie hat sich am Kopf verletzt. Ⓐ — Wo haben Sie Schmerzen? Ⓑ — Was soll ich dir mitbringen? Ⓒ — Und was hat der Arzt gesagt? Ⓓ — Sie können morgen nach Hause gehen. Ⓔ

ÜBUNGEN

1 Im Krankenhaus

a Was ist das? Ergänzen Sie. Wie heißt das Lösungswort?

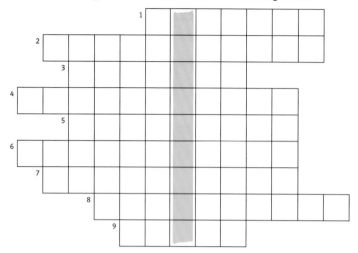

1. Sie haben große Schmerzen. Der Arzt gibt Ihnen eine … gegen die Schmerzen.
2. Der Arzt sagt, dass Sie regelmäßig Ihre … nehmen müssen.
3. Sie liegen im Krankenhaus und sollten mehr essen, aber Sie haben keinen …
4. Ihr Arzt schickt Sie zu einem anderen Arzt oder ins Krankenhaus. Sie bekommen eine …
5. Sie haben eine Verletzung. Es tut sehr weh. Sie haben große … .
6. Sie haben einen Finger gebrochen. Im Krankenhaus machen die Ärzte ein … .
7. Sie sind gestürzt und brauchen Hilfe, weil Sie eine … haben.
8. Die Ärztin fragt, ob Sie gegen bestimmte Medikamente … sind.
9. Sie haben eine Verletzung, die …. blutet stark. Der Arzt muss sie nähen.

Lösungswort: Im Krankenhaus gibt es viele ....

b Lesen Sie das Gespräch. Ergänzen Sie.

○ Guten Tag! Ich habe (1) heu_t_ _e_ um 9:15 Uhr

einen (2) Te_ _ _ _.

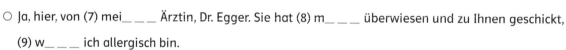

● Gut. (3) Kön_ _ _ Sie mir bitte Ihre

(4) Versicher_ _ _ _ _ _ _ _ geben?

○ Hier, bitte.

● Moment. Herr Lehmann, (5) rich_ _ _? Haben Sie

auch eine (6) Über_ _ _ _ _ _ _, Herr Lehmann?

○ Ja, hier, von (7) mei_ _ _ Ärztin, Dr. Egger. Sie hat (8) m_ _ _ überwiesen und zu Ihnen geschickt,

(9) w_ _ _ ich allergisch bin.

● Gegen was sind Sie denn (10) all_ _ _ _ _ _ _?

○ Gegen Tierhaare. (11) W_ _ _ ich Kontakt mit Tierhaaren habe, (12) bek_ _ _ _ ich rote Augen und

andere Probleme. Katzenhaare sind besonders (13) schl_ _ _ .

● Nehmen Sie bitte (14) Pl_ _ _ , Herr Lehmann. Wir rufen (15) S_ _ dann.

2 Ein Notfall

🎧 2.23 **a** **Ein Notruf – Ordnen Sie die Antworten den Fragen zu und hören Sie zur Kontrolle.**

● Notrufzentrale Hamburg. Wer spricht bitte?

○ 1. [c]

● Können Sie bitte Ihren Namen wiederholen?

○ 2. ◯

● Wo sind Sie denn, Frau Marosevic? Wo ist der Unfall passiert?

○ 3. ◯

● Was ist genau passiert?

○ 4. ◯

● Welche Verletzungen hat Ihre Freundin?

○ 5. ◯

● Ist sie ansprechbar?

○ 6. ◯

● Hat sie noch andere Verletzungen?

○ 7. ◯

● Gut, Frau Marosevic. Ich schicke einen Rettungswagen. Noch eine Frage: Wie ist Ihre Telefonnummer?

○ 8. ◯

a) Ich glaube nicht. Kommen Sie bitte schnell.

b) Hier in Hamburg, in der Weberstraße. Vor dem Haus – Moment, bitte – Nr. 37. Also Weberstraße 37.

c) Ja, aber sie liegt auf dem Boden. Sie hat schreckliche Schmerzen und schreit.

d) Meine Freundin ist mit dem Fahrrad gestürzt.

e) Marosevic! Kommen Sie schnell!

f) Meine Nummer ist 0157 / 27203167.

g) Marosevic, Natalja Marosevic. Schicken Sie schnell einen Notarzt, meine Freundin hatte einen Unfall.

h) Sie hat eine große Wunde am Kopf, sie blutet stark.

🚑 Hilfe? – Hören Sie zuerst und ordnen Sie dann zu.

b **Einen Notruf machen – Was ist passiert? Schreiben Sie Sätze.**

1. mein Name / Beate Frank / sein
2. ein Unfall / passieren / in der Grafstraße 7
3. ein Mann / auf der Straße / stürzen
4. bluten / am Kopf / er / , // aber / sein / er / ansprechbar
5. eine Verletzung / am Arm / haben / auch / er
6. ich / den Mann / nicht / kennen

> *1. Mein Name ist Beate Frank.*

🎵 2.24 **c** **Aussprache: Zwei Buchstaben, ein Laut – Wo hören Sie an der Wortgrenze nur einen Laut? Markieren Sie.**

1. Was ist? – Was ist denn? – Was ist denn passiert?
2. Bert – Bert trifft – Bert trifft einen Freund.
3. ab – ab Berlin – Ab Berlin war der Zug sehr voll.
4. Pep – Pep packt – Pep packt seine Sachen.
5. Frank – Frank kauft – Frank kauft neue Schuhe.
6. lang – lang kann – Lang kann ich leider nicht bleiben.
7. weg – weggeht – Weil Lore weggeht, ist sie traurig.

> Wenn an der Wort- oder Silbengrenze t und d, p und b oder k und g zusammentreffen, spricht man nur den Laut am Anfang vom zweiten Wort oder vor der zweiten Silbe:
> mit dem > /midem/;
> ist da > /isda/;
> ab Basel > /abasel/;
> weggehen > /wegehn/.

🎵 2.25 **d** **Hören Sie und sprechen Sie nach.**

3 In der Notaufnahme

a Schreiben Sie die Körperteile mit Artikel.

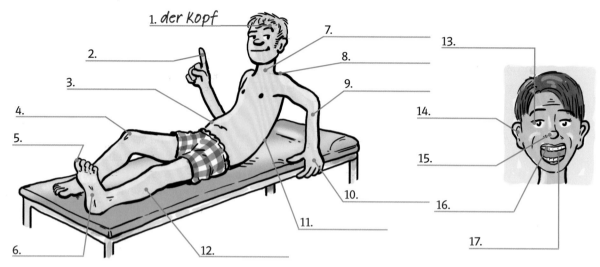

1. *der Kopf*
2.
3.
4.
5.
6.
7.
8.
9.
10.
11.
12.
13.
14.
15.
16.
17.

ARMAUGEBAUCHBEINKNIEFINGERFUSSHALSHANDKOPFMUNDNASEOHRRÜCKENSCHULTERZAHNZEHE

b Welches Wort fehlt? Ergänzen Sie die Lücken.

Allergie   ~~Arbeitsunfall~~   Impfung   Narkose   Operation   Unverträglichkeit

1. Was für ein Unfall war das? Ist er privat passiert oder war es ein *Arbeitsunfall* ?

2. Wissen Sie, ob Sie eine .... haben, z. B. gegen Medikamente oder Tierhaare?

3. Haben Sie eine .... gegen bestimmte Lebensmittel? Dürfen Sie alles essen?

4. Ihre Hand ist gebrochen, aber Sie brauchen keine ....

5. Es ist nur eine kleine Operation, Sie müssen keine Angst vor der .... haben.

6. Das ist eine gefährliche Krankheit. Deswegen empfehlen wir eine ....

4 Bitte vergiss nichts.

a Markieren Sie das Subjekt im Hauptsatz und im *damit*-Satz. In welchen Sätzen ist das Subjekt gleich? Kreuzen Sie an.

1. ⬜ Der Patient bekommt eine Spritze, damit die Schmerzen weggehen.

2. ☒ Die Ärztin macht eine genaue Untersuchung, damit sie die Krankheit erkennt.

3. ⬜ Anton Kulagin muss vier Wochen zu Hause bleiben, damit er wieder gesund wird.

4. ⬜ Herr Kulagin bekommt eine Krankmeldung, damit er den Arbeitgeber informieren kann.

5. ⬜ Anton hat einen Gips bekommen, damit die Verletzung schnell besser wird.

6. ⬜ Frau Marosevic telefoniert, damit der Notarzt kommt.

7. ⬜ Frau Rehm bekommt eine Impfung, damit sie nicht krank wird.

b Schreiben Sie die Sätze aus 4a mit dem gleichen Subjekt mit *um ... zu*.

2. *Die Ärztin macht eine genaue Untersuchung, um die Krankheit zu erkennen.*

c Wozu tun Sie das? Schreiben Sie die Sätze mit *damit* oder *um ... zu* weiter.

1. Ich habe eine Erkältung und trinke viel Tee, ...

2. Ich nehme eine Schmerztablette, ...

3. Ich gehe zum Zahnarzt, ...

4. Ich mache ein bisschen Sport, ...

5. Ich trinke am Abend keinen Kaffee, ...

6. Ich vereinbare einen Termin beim Arzt, ...

5 Ich habe Angst vor der Operation.

🎧 2.26–27 **a** Hören Sie die Dialoge. Was ist richtig? Kreuzen Sie an: ⓐ, ⓑ oder ⓒ?

Dialog 1

ⓐ Frau Kerbel hat Angst, dass es nach der Operation wehtut.

ⓑ Frau Kerbel ist aus der Narkose aufgewacht.

ⓒ Frau Kerbel hat mehr Angst vor der Narkose als vor der Operation.

Dialog 2

ⓐ Herr Basler darf erst nach den Untersuchungen nach Hause gehen.

ⓑ Die Ärztin bittet Herrn Basler um ein bisschen Geduld.

ⓒ Herr Basler möchte nach Hause, weil er im Krankenhaus so schlecht schläft.

b Was sagen die Personen? Ergänzen Sie das passende Wort.

● Wie (1) *fühlen*............................... Sie sich denn heute?

○ Nicht gut, ich habe große (2) ....

Und ich kann hier in der Nacht nicht (3) ....

● Das tut mir (4) .... Aber es wird schon.

Sie brauchen noch ein bisschen (5) ....

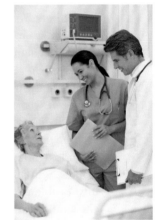

leid • Schmerzen • schlafen • Geduld • fühlen

6 Wir tun alles für Ihre Gesundheit.

a Gesundheitsberufe und Arbeitsorte – Markieren Sie zwölf Wörter im Wortgitter. Schreiben Sie diese mit Artikel.

P	X	P	H	Y	S	I	O	T	H	E	R	A	P	E	U	T
R	K	E	L	W	K	A	L	T	E	R	S	H	E	I	M	T
A	L	T	E	N	P	F	L	E	G	E	R	I	N	V	T	Ä
X	I	P	K	R	A	N	K	E	N	P	F	L	E	G	E	R
I	N	W	A	N	O	T	A	R	Z	T	Z	L	J	G	D	Z
S	I	R	D	O	K	T	O	R	P	P	A	T	I	E	N	T
M	K	R	A	N	K	E	N	H	A	U	S	Z	W	Y	Ö	I
R	A	C	F	D	A	R	Z	T	H	E	L	F	E	R	I	N
F	I	T	N	E	S	S	C	E	N	T	E	R	I	P	T	R

der Physiotherapeut

b Verbinden Sie die Sätze mit *nicht nur ..., sondern auch.*

1. Altenpflegerinnen arbeiten in Altersheimen und bei den Senioren zu Hause.

Altenpflegerinnen arbeiten nicht nur in Altersheimen, sondern auch bei den Senioren zu Hause.

2. Arzthelferinnen helfen bei Untersuchungen und bei Therapien.

....

3. Krankenpfleger geben Patienten das Essen und Medikamente.

....

4. Physiotherapeuten können Bewegungsübungen machen und Patienten massieren.

....

P

c Lesen Sie den Text und die Aufgaben 1 bis 3. Wählen Sie zu jeder Aufgabe die richtige Lösung: ⓐ, ⓑ oder ⓒ?

Altenpfleger – ein Beruf mit Zukunft
Die Menschen werden älter, mehr Pflegepersonal ist nötig.

Etwas über 15% aller Deutschen sind 70 Jahre oder älter, Tendenz steigend. Experten sagen voraus, dass im Jahr 2050 jeder fünfte Einwohner Deutschlands zu dieser Altersgruppe gehört. Sicher, viele alte Menschen sind gesund, leben selbstständig und sind sehr aktiv. Der Anteil von Senioren, die nicht ohne Hilfe leben können, steigt aber, und das sehr schnell. Altenpflege ist anstrengend. Das Pflegepersonal muss nicht nur fit und zuverlässig sein, sondern auch psychisch stabil. „Senioren wollen reden, sie erzählen mir ihre Probleme, oft immer dieselben. Und manche sind sehr ungeduldig", meint eine erfahrene Altenpflegerin. „Da braucht man gute Nerven."

Das bedeutet, dass man Pflegepersonal mit einer guten Ausbildung braucht. Altersheime, wie wir sie kennen, bleiben erhalten, viele Pflegerinnen und Pfleger werden weiter dort Arbeit finden. Betreutes Wohnen wird immer wichtiger, mit kleinen Wohnungen, die für alte Leute eingerichtet sind. Auch hier braucht es Unterstützung, vor allem bei der Körperpflege, damit die alten Menschen noch weitgehend selbstständig leben können. Der dritte Bereich, in dem viele Fachkräfte nötig werden, ist die mobile Pflege. Diese macht es möglich, dass alte Menschen in ihrer Wohnung bleiben können.

1. Im Text geht es darum, dass ...
   ⓐ es viele neue Altersheime gibt.
   ⓑ es zu wenig Altenpfleger gibt.
   ⓒ es in Zukunft mehr Altenpfleger geben muss.

2. Altenpflegerinnen und Altenpfleger ...
   ⓐ sind manchmal auch ungeduldig.
   ⓑ haben einen anstrengenden Beruf.
   ⓒ haben keine Zeit für Gespräche mit den alten Leuten.

3. In Zukunft arbeitet Pflegepersonal
   ⓐ oft auch ohne Ausbildung.
   ⓑ in Altersheimen und auch bei den Patienten zu Hause.
   ⓒ oft selbstständig in ihrer eigenen Wohnung.

7 Entschuldigung, wo ist die Entbindungsstation?

Was sagt man in folgenden Situationen? Schreiben Sie. Manchmal gibt es mehrere Möglichkeiten.

Bald ist der Gips weg und alles ist wieder gut!

Hast du noch Herzbeschwerden?

Hab keine Angst!

Zum Glück ist bei dem Unfall nicht mehr passiert.

Herzlichen Glückwunsch zur Geburt eurer Tochter.

Ich bin so froh, dass es dir wieder besser geht!

Ich wünsche dir, dass alles gut geht. Kopf hoch.

Wir freuen uns so mit euch.

1. Sie besuchen einen Freund. Er hatte Herzprobleme. — *Ich bin so froh,*

2. Ein Kind hatte einen Unfall. Es hat ein Bein gebrochen.

3. Eine Freundin hat morgen eine Operation.

4. Freunde haben ein Baby bekommen, es heißt Antonia.

WORTBILDUNG: Verben mit *weg-, weiter-, zusammen-, zurück-*

Streichen Sie den falschen Verbteil und schreiben Sie das richtige Verb.

1. Leider muss ich arbeiten. Ich würde so gerne ein paar Tage ~~zusammen~~fahren. — *wegfahren*

2. Mona ist eine sehr nette Kollegin. Mit ihr kann man sehr gut zurückarbeiten.

3. Ich kann noch nicht Feierabend machen, ich muss noch wegarbeiten.

4. Ich freue mich, dass du morgen weiterkommst. Ich bin nicht gern allein.

5. Unser Hund ist zusammengelaufen. Hoffentlich kommt er bald wieder.

6. Hast du noch meine Bücher? Ich möchte sie gerne weghaben.

7. Plötzlich war mein Fahrrad kaputt. Ich konnte nicht mehr zusammenfahren.

RICHTIG SCHREIBEN: Lange Vokale: *e, ee* oder *eh*; *i, ih* oder *ie*; *o* oder *oh*

Ergänzen Sie. Vergleichen Sie dann mit Ihrem Partner / Ihrer Partnerin.

e — Der L_eh_rer kam in die Klasse. Er r____dete s____r schnell, wie immer. „Heute l____sen wir zuerst, dann machen wir m____rere Übungen. Aber warum sind so viele Plätze l____r?"

i — „W____ geht es ____nen heute, Frau Wieser? Haben S____ gut geschlafen? W____r machen heute v____le Untersuchungen, bis w____r ____r Problem gefunden haben.

o — „Ich bin ja s____ fr____, dass Sie sich wieder w____lfühlen. Sie werden bestimmt ____ne Probleme wieder gesund", sagte der ____renarzt.

Mein Deutsch nach Kapitel 6

Das kann ich:

einen Notfall melden

mit dem Fahrrad stürzen

eine große Wunde am Kopf, es blutet

Mainz, Gutenbergstr. 67

Johannes Lang 0176 / 74593820

Das weiß ich nicht, Schmerzen im Knie

Fragen und antworten Sie.

Wer spricht bitte?

Was ist passiert?

Welche Verletzungen hat …?

Hat … noch andere Verletzungen?

… Ihre Telefonnummer?

---

mit dem Arzt / der Ärztin sprechen

Problem?

Medikamente?

seit wann?

schlafen?

Allergie?

Arbeitgeber?

Fragen und antworten Sie.

Was ist das Problem, Herr/Frau …?

Ich habe Husten und Fieber.

Gespräche im Krankenhaus führen

nach dem Befinden fragen

Angst ausdrücken

Mitgefühl zeigen

Gute Besserung wünschen

Sie besuchen einen Freund im Krankenhaus. Sprechen Sie.

Wie geht es dir heute?

Es geht. Ein bisschen besser als gestern.

über einen Unfall informieren

Ach nein!

Schreiben Sie fünf Sätze.

Ich habe in der Wohnung …
Da …

www → B1/K6

Das kenne ich:

Ⓖ

damit oder um … zu: Zweck ausdrücken

Anton Kulagin möchte seinen Laptop haben,
Subjekt: Anton Kulagin

damit er im Internet surfen kann.
Subjekt: er (= Anton Kulagin)
um … zu ist möglich

Anton Kulagin möchte seinen Laptop haben, um im Internet surfen zu können.

Anton möchte sein Handy haben,
Subjekt: Anton Kulagin

damit **seine Frau** ihn immer erreichen kann.
Subjekt: seine Frau
um … zu ist **nicht** möglich

nicht nur …, sondern auch: ausdrücken, dass zwei Sachen zutreffen

Krankenpfleger arbeiten im Schichtdienst.
Krankenpfleger arbeiten nicht nur im Schichtdienst,

Sie arbeiten auch am Wochenende.
sondern auch am Wochenende.

Altenpfleger müssen geduldig sein.
Altenpfleger müssen nicht nur geduldig,

Sie müssen auch körperlich fit sein.
sondern auch körperlich fit sein.

Ⓖ

HALTESTELLE

1 Beruf – Angestellt oder selbstständig?

a **Was ist typisch für Angestellte, was für Selbstständige? Ordnen Sie zu. Manche Beschreibungen passen für beides.**

keinen Chef haben mit Kollegen zusammenarbeiten sicheres Einkommen

keine festen Arbeitszeiten ein Büro mieten oft zu Hause arbeiten

bezahlte Urlaubstage soziale Absicherung (Rente, Krankenversicherung) fester Vertrag

für den eigenen Erfolg verantwortlich sein Werbung machen

angestellt	beide	selbstständig
	mit Kollegen zusammen-	
	arbeiten;	

b **Lesen Sie den Text. Wer kann zum Betriebsrat gehen? Angestellte oder Selbstständige? Sprechen Sie.**

Betriebsrat

In jedem Unternehmen ab fünf Personen kann es einen Betriebsrat geben. Der Betriebsrat hat verschiedene Aufgaben, zum Beispiel vertritt er die Interessen der Arbeitnehmer dem Arbeitgeber gegenüber. Wenn man Probleme in der Arbeit hat, kann man also zum Betriebsrat gehen.
Der Betriebsrat hat auch viele Rechte. Bei Entscheidungen des Arbeitgebers, die die Arbeitnehmer betreffen, muss der Betriebsrat zustimmen. Normalerweise informiert der Betriebsrat die Arbeitgeber regelmäßig über seine Arbeit.

🎧 2.28 c **Hören Sie das Gespräch zwischen einer Krankenschwester und einem Dolmetscher. Kreuzen Sie an: Sind die Aussagen richtig oder falsch?**

	R	F
1. Frau Binder war beim Betriebsrat, weil sie sich beschweren möchte.	☐	☐
2. Herr Stanislawski findet es gut, im Moment wenig Kunden zu haben.	☐	☐
3. Frau Binder ist mit ihrem hohen Gehalt zufrieden.	☐	☐
4. Herr Stanislawski hat noch keine finanziellen Probleme.	☐	☐
5. Er macht Werbung, um mehr Aufträge zu bekommen.	☐	☐
6. Frau Binder kommt nach dem Urlaub gern wieder zurück in die Arbeit.	☐	☐

🎧 2.28 d **Hören Sie das Gespräch noch einmal. Welche Vorteile und Nachteile als Angestellte und als Selbstständiger nennen sie?**

> Die Krankenschwester findet es gut, einen Betriebsrat zu haben.

e **Was passt besser zu Ihnen – angestellt oder selbstständig? Warum? Sprechen Sie über die Beschreibungen in 1a.**

2 Spielen und wiederholen

a Körper und Krankheit – Welche Wörter gehören in ein Wortfeld? Arbeiten Sie zu dritt. Jeder markiert in zwei verschiedenen Farben und notiert den Artikel.

.... Arzt	.... Krankenhaus	.... Schnupfen
.... Arm	.... Kopf	.... Ohr
.... Bein	.... Grippe	.... Zahnarzt
.... Praxis	.... Knie	.... Krankenpfleger
.... Erkältung	.... Hals	.... Bauch
.... Auge	.... Wunde	.... Fuß
.... Schmerz	.... Fieber	.... Pflaster
.... Hand	.... Tropfen	.... Finger
.... Medikament	.... Mund	.... Tablette

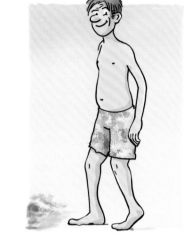

b Vergleichen Sie Ihre Lösungen. Für jedes richtige Wortfeld und für jeden richtigen Artikel gibt es einen Punkt.

c Denken Sie sich ein Wort. Schreiben Sie für jeden Buchstaben einen Strich. Die anderen sagen einen Buchstaben: Richtig? Schreiben Sie ihn an den richtigen Platz. Falsch? Zeichnen Sie Schritt für Schritt ein Smiley. Ihr Smiley ist fertig: Sie haben gewonnen. Das Wort ist fertig: die Gruppe gewinnt.

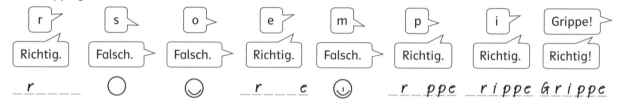

d Arbeiten Sie zu dritt. Schreiben Sie A bis D auf Zettel und mischen Sie. Jeder zieht einen Zettel und findet in einer Minute möglichst viele Wörter zum Thema Körper/Gesundheit/Krankheit mit der passenden Buchstabenzahl. Wer gewinnt?

A	B	C	D
3 oder 4 Buchstaben	5 oder 6 Buchstaben	7 oder 8 Buchstaben	länger

3 Sprechtraining

a Das stimmt nicht. Lesen Sie abwechselnd die Sätze. Der/Die andere korrigiert die Aussage.

1. Wenn jemand krank ist, wünscht man „Viel Glück".
2. Bei Kopfschmerzen hilft ein Pflaster.
3. Im Sommer haben viele eine Erkältung.
4. Wenn man krank ist, geht man zum Maler.

5. Im Krankenhaus braucht man eine Visitenkarte.
6. Rauchen macht gesund.
7. Der Patient muss im Schrank bleiben.
8. Eine Arzthelferin arbeitet in einer Bank.

> Wenn jemand krank ist, wünscht man „Viel Glück".

> Viel Glück? Das stimmt nicht. Man wünscht „Gute Besserung".

b Stimmt das? Notieren Sie fünf falsche Aussagen. Lesen Sie Ihre Aussagen vor. Ihr Partner / Ihre Partnerin wiederholt das, was falsch ist, als Frage und korrigiert die Aussage.

> In Deutschland spricht man Englisch.

> Englisch? Nein, man spricht Deutsch.

TESTTRAINING

P DTZ
P Goethe/
ÖSD

∩ 2.29

1 Hören – Gespräche

So sieht die Aufgabe in der Prüfung aus:

**Sie hören vier Gespräche. Zu jedem Gespräch gibt
es zwei Aufgaben. Entscheiden Sie bei jedem Gespräch,
ob die Aussage dazu richtig oder falsch ist und
welche Antwort (a, b oder c) am besten passt.**

INFO: Im Goethe/ÖSD-Zertifikat B1 gibt es auch
diesen Aufgabentyp, aber nicht mit Gesprächen,
sondern mit Durchsagen oder Texten vom
Anrufbeantworter wie in Testtraining A auf Seite 31.

> → Lesen Sie die Aufgaben genau
> und überlegen Sie: Wie ist die
> Situation?
> → Die erste Aufgabe ist immer
> allgemein zu der Situation,
> die zweite zu einem Detail.

Beispiel

Frau Dallmann ist eine Kollegin von Herrn Burger.　　⊗ richtig　　◯ falsch

　　Sie möchte Herrn Burger
　　a fragen, wann er wieder arbeitet.
　　b̷ im Krankenhaus besuchen.
　　c seine Tasche ins Krankenhaus bringen.

1 Merle zieht mit Daniel zusammen in eine neue Wohnung.　　◯ richtig　　◯ falsch

2 Merle bittet Daniel,
　　a Farbe für die neue Wohnung zu kaufen.
　　b Helfer für den Umzug zu organisieren.
　　c Leute zur Einzugsparty einzuladen.

3 Frau Beise ist bei einer Ärztin.　　◯ richtig　　◯ falsch

4 Sie soll
　　a Hustensaft nehmen.
　　b sich krankschreiben lassen.
　　c viel spazierengehen.

5 Manfred spricht mit einer Verwandten.　　◯ richtig　　◯ falsch

6 Er möchte
　　a eine neue Kreditkarte bestellen.
　　b eine Überweisung machen.
　　c einen Dauerauftrag löschen.

7 Ali und Konstantin suchen einen Termin zum Deutschlernen.　　◯ richtig　　◯ falsch

8 Sie treffen sich
　　a am Freitag vor dem Deutschkurs.
　　b am Freitag nach dem Deutschkurs.
　　c am Samstag um 10 Uhr.

2 Sprechen – Kontakt aufnehmen

So sieht die Aufgabe in der Prüfung aus:

Unterhalten Sie sich mit Ihrer Partnerin bzw. Ihrem Partner über folgende Themen:

- Name
- woher sie oder er kommt
- wie sie oder er wohnt (Wohnung, Haus, Garten …)
- Familie
- wo sie oder er Deutsch gelernt hat
- was sie oder er macht (Schule, Studium, Beruf …)
- Sprachen (welche? wie lange? warum?)

Die Prüfenden können außerdem noch weitere Fragen stellen.

> → Fragen Sie am Anfang Ihre Partnerin oder Ihren Partner: „Sollen wir uns siezen oder duzen?"
> → Ein Beispiel und Fragen zu „Sich vorstellen" finden Sie in Testtraining B, Seite 64, Aufgabe 2.

3 Sprechen – Über Erfahrungen sprechen

So sieht die Aufgabe in der Prüfung aus:

Teil A

Sie haben in einer Zeitschrift ein Foto gefunden. Berichten Sie Ihrer Gesprächspartnerin oder Ihrem Gesprächspartner kurz:
Was sehen Sie auf dem Foto?
Was für eine Situation zeigt dieses Bild?

Teilnehmer/in A	**Teilnehmer/in B**

So können Sie üben:

a Sprechen Sie jeweils über Ihr Foto. Die Fragen und die Redemittel helfen.

> (Was …?)   Auf dem Bild ist/sind … Auf dem Foto sehe ich …
> (Wo …?)   Die Person/Personen sind vielleicht …
> (Wann …?)   Das ist wahrscheinlich vormittags/nachmittags …
> (Warum …?) Ich glaube …, weil …
> (Wie …?)   Die Stimmung ist … / Interessant auf dem Foto finde ich, dass … / Mir gefällt es, wie …

So sieht die Aufgabe in der Prüfung aus:

Teil B

Unterhalten Sie sich jetzt über das Thema *Sprachen lernen*. Erzählen Sie etwas über sich.
Wie lernen Sie Sprachen?

So können Sie üben:

b Sprechen Sie. Die Redemittel helfen.

> Ich mache das immer/oft/manchmal/ … so: Meine Erfahrung ist, dass …
> Ich finde … besser/schwerer/einfacher/ … als …   Bei uns ist es üblich/normal, … zu …

c Üben Sie mit Fotos zu anderen Themen, z. B. *Essen*, *Verkehr*, *Wohnen* oder *Medien*.

Alles für die Umwelt

1 Das geht auch anders!

a Was passt zu welchem Foto? Ordnen Sie zu.

Altglas   Müll trennen   Pfandflaschen sortieren   Licht ausschalten   Energie sparen

Einkaufskorb   Kochtopf   benutzen   Deckel   mit dem Fahrrad einkaufen

Plastiktüten vermeiden

> Altglas passt zu Foto A. Die Mutter ... Die Tochter ...

b Was haben die Fotos A bis E mit Energiesparen und Umweltschutz zu tun? Sprechen Sie im Kurs.

> Auf Foto D sind alle Lampen an. Das verbraucht viel Energie.

🎧 2.30–34 **c** Hören Sie fünf Dialoge. Zu welchen Fotos passen sie?

d Was machen Sie zu Hause, um Energie zu sparen? Was könnten Sie noch machen?

> Wir heizen im Winter nicht viel. Da spart man viel Geld.

Sprechen über Energiesparen diskutieren; zustimmen, widersprechen, abwägen; Umwelttipps geben; jemanden überzeugen; Zweifel äußern und entkräften | **Hören** Interview mit Biobauern | **Schreiben** Kommentar | **Lesen** Tipps zum Energiesparen; Artikel über einen Markt; Infotexte über Umweltaktionen | **Beruf** Freiwilliges ökologisches Jahr

2 Das ist zu teuer.

2.35 **a** Hören Sie das Gespräch.
Über welches Problem spricht
Familie Wächter?

b Lesen Sie die Tipps und ordnen Sie sie den Fotos zu.

Tipp .... (A) Tipp .... (B) Tipp .... (C) Tipp .... (D) Tipp .... (E) Tipp .... (F) Tipp .... (G) Tipp .... (H)

Acht Tipps zum Energiesparen im Haushalt

1. Kontrollieren Sie die Energieklasse bei Ihren Elektrogeräten. Wenn Sie sich ein neues Gerät anschaffen, dann nur mit der Energieklasse A+ bis A+++.

2. Geräte verbrauchen auch im Standby-Modus Strom, deshalb sollten Sie den Stecker immer aus der Steckdose ziehen.

3. Eine volle Badewanne verbraucht viel Wasser und Energie, verzichten Sie auf ein Vollbad und duschen Sie lieber kurz.

4. Kühlgeräte mögen es kühl, darum sollen sie nicht neben dem Herd oder in der Sonne stehen.

5. Mit dem Sparprogramm bei der Waschmaschine wird die Wäsche auch ohne Vorwäsche sauber. So sparen Sie auch Waschmittel.

6. Öffnen Sie die Fenster für einige Minuten richtig, um gut zu lüften. Das ist besser als gekippte Fenster.

7. Ziehen Sie an kalten Tagen zu Hause einen Pulli an, dann müssen Sie nicht so viel heizen.

8. Lampen sollen nur dort an sein, wo Menschen sind. Wenn Sie aus dem Zimmer gehen, einfach das Licht ausschalten.

c Welche Tipps finden Sie sinnvoll? Welche nicht?

> Tipp 5 finde ich sinnvoll, wenn man Kinder hat und viel waschen muss.

2.36 **d** Hören Sie das Gespräch von Familie Wächter. Über welche Tipps sprechen sie?

Tipp ....   Tipp ....   Tipp ....   Tipp ....   Tipp ....

e Für welche Tipps entscheidet sich die Familie? Warum? Notieren und vergleichen Sie.

Tipp ....: ....

Tipp ....: ....

Tipp ....: ....

Tipp ....: ....

K7-1 **3 Da hast du recht!**

🔁
🎧 2.36

a Hören Sie das Gespräch von Familie Wächter noch einmal. Welche Ausdrücke hören Sie? Kreuzen Sie an.

zustimmen	widersprechen	abwägen
☐ Da hast du recht.	☐ Ich sehe das anders.	☐ Das stimmt zum Teil, aber …
☐ Da stimme ich dir zu.	☐ Hier möchte/muss ich	☐ So einfach ist das nicht.
☐ Das sehe ich auch so.	widersprechen.	☐ Man darf nicht vergessen, …
☐ Damit bin ich einverstanden.	☐ Das ist nicht so.	☐ Es ist aber auch wichtig, …
☐ Stimmt.	☐ Das kann jeder behaupten.	

🎵 2.37

b Aussprache: *sch* oder *s* – Was hören Sie? Kreuzen Sie an.

1. Prospekt   [sch] [s]   5. sparen   [sch] [s]
2. widersprechen   [sch] [s]   6. erstens   [sch] [s]
3. kosten   [sch] [s]   7. Stecker   [sch] [s]
4. einverstanden   [sch] [s]   8. Plastik   [sch] [s]

> 🙂 *st* und *sp*:
> Am Wortanfang und
> am Silbenanfang spricht
> man *scht* und *schp*.

🎵 2.38

c Hören Sie die Sätze und sprechen Sie nach.

1. Es stimmt, dass Stofftaschen besser sind als Plastiktüten.
2. Mit diesem Kühlschrank sparen wir viel Strom.
3. Sabine lässt den Stecker selten in der Steckdose.
4. Hier muss ich Stefan widersprechen. Das ist nicht so.
5. Das stimmt so nicht. Das sehe ich anders.
6. Ich bin einverstanden mit den Stromspartipps.

d Sollte man alte Elektrogeräte verbieten? Diskutieren Sie zu zweit: A ist dafür, B ist dagegen.
Verwenden Sie dabei die Ausdrücke aus 3a.

Verbot von alten Elektrogeräten

+ neue Geräte verbrauchen
  weniger Energie
+ man spart Geld und sie sind
  weniger schädlich für die Umwelt
+ es gibt mehr Arbeitsplätze,
  weil man neue Geräte produziert
+ neue Geräte haben bessere
  Funktionen als alte Geräte

– zu teuer
– alte Geräte funktionieren noch
– bei der Produktion von neuen Geräten
  verbraucht man Energie und Material
– es gibt zusätzlichen Müll
– auch neue Geräte können einen
  hohen Verbrauch haben

UND SIE?

Notieren Sie die vier Themen auf Plakaten und legen Sie die Plakate auf Tische. Gehen Sie herum und
notieren Sie Ihre Meinung. Kommentieren Sie auf den Plakaten auch die Meinungen der anderen
Kursteilnehmer/innen.

Öffentlicher Nahverkehr kostenlos für alle
Ich finde, dass Busse nichts kosten sollten!
Hier muss ich widersprechen: Das ist zu teuer für die Städte!

Plastiktüten im Supermarkt für 1 Euro

!VERBOT von Wegwerfflaschen!

Umweltschutz als Schulfach

K7-2 **4 Mein Gemüse wird auf dem Markt verkauft.**

a Thema *Bauernhof* – Sammeln Sie Wörter. Erklären Sie dann Ihre Wörter einer anderen Gruppe.

> Der Stall: Im Stall sind die Tiere wie Kühe, Schafe oder Hühner.

🎧 2.39 **b** Das Interview von Jonas – Hören Sie und kreuzen Sie an: richtig oder falsch?

	R	F
1. Der Hof ist seit zehn Jahren ein Bio-Bauernhof.	☐	☐
2. Bauer Schomers füttert jeden Morgen seine Rinder mit Gras.	☐	☐
3. Er arbeitet gerne im Freien.	☐	☐
4. Für die Ernte braucht er Saisonarbeiter.	☐	☐
5. Samstags verkauft er seine Produkte auf dem Markt.	☐	☐

c Lesen Sie den Artikel von Jonas aus der Klassenzeitung und beantworten Sie die Fragen.

Ökologisches Obst und Gemüse – vom Feld direkt auf den Markt

Wart ihr schon mal auf dem Ökomarkt? Und habt ihr euch schon mal überlegt, was alles passieren muss, damit samstags dort alles frisch ist? Und was vor und nach dem Verkauf passiert?
Ich habe mit Bauer Schomers gesprochen und war auf dem Ökomarkt und kann euch das jetzt erklären: Zuerst werden die Früchte und das Getreide auf den Bauernhöfen in unserer Gegend angebaut, auch auf dem Bauernhof von Herrn Schomers. Jeden Freitag wird das Obst und Gemüse extra für den Markt schön reif und frisch geerntet. In der Erntezeit helfen da manchmal auch Saisonarbeiter mit. Die Ware wird dann am Samstag um fünf Uhr früh abgeholt. Gleichzeitig werden auf dem Markt ab fünf Uhr die Stände aufgebaut. Ab sechs Uhr wird die Ware geliefert. Dann wird sie ausgepackt. Ab sieben Uhr kommen die ersten Kunden. Sie werden persönlich beraten. So geht das den ganzen Vormittag. Um ein Uhr ist der Markt zu Ende, dann werden die Stände abgebaut und der Marktplatz wird gereinigt. Und am nächsten Wochenende geht das alles wieder von vorne los.

1. Woher kommen die Früchte auf dem Markt?
2. Wann ist die wöchentliche Ernte?
3. Ab wann kann man auf dem Markt einkaufen?
4. Wie oft findet der Markt statt?

d Lesen Sie den Artikel in 4c noch einmal. Ergänzen Sie im Kasten die Formen von *werden*.

Ⓖ

FOKUS   Passiv

	werden: Position 2		Partizip: Ende	
Zuerst	werden	**die Früchte**	angebaut	.
Jeden Freitag	wird	**die Ware** frisch	geerntet	.
Die Stände	◯	ab fünf Uhr	aufgebaut	.
Die Ware	◯	ab sechs Uhr	geliefert	.

Passiv
Wichtig ist:
Was passiert?
Nicht: Wer macht etwas?

e Auf dem Markt – Schreiben Sie die Sätze im Passiv.

1. Auf dem Markt / frisches Obst / verkaufen
2. Früh am Morgen / die Stände / aufbauen
3. Im Winter / keine Erdbeeren / anbieten
4. Die Kunden / intensiv / beraten
5. Hier / tolle Tipps / geben

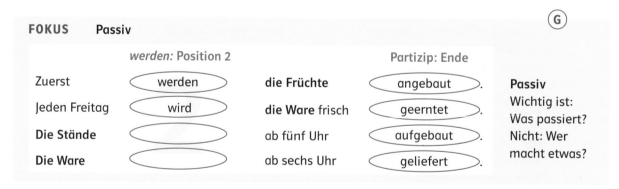
1. Auf dem Markt wird frisches Obst verkauft.

5 Umweltschutz ganz praktisch

a Jonas und seine Mitschüler präsentieren in der Klasse ihr Umweltprojekt. Formulieren Sie Tipps zu A bis E.

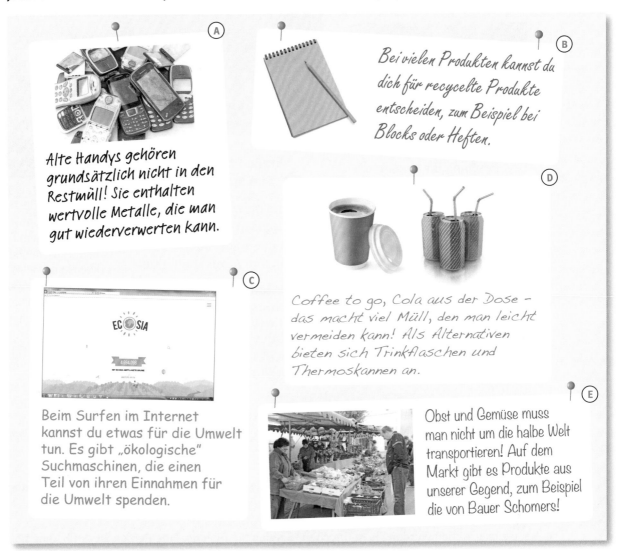

A

Alte Handys gehören grundsätzlich nicht in den Restmüll! Sie enthalten wertvolle Metalle, die man gut wiederverwerten kann.

B

Bei vielen Produkten kannst du dich für recycelte Produkte entscheiden, zum Beispiel bei Blocks oder Heften.

D

Coffee to go, Cola aus der Dose – das macht viel Müll, den man leicht vermeiden kann! Als Alternativen bieten sich Trinkflaschen und Thermoskannen an.

C

Beim Surfen im Internet kannst du etwas für die Umwelt tun. Es gibt „ökologische" Suchmaschinen, die einen Teil von ihren Einnahmen für die Umwelt spenden.

E

Obst und Gemüse muss man nicht um die halbe Welt transportieren! Auf dem Markt gibt es Produkte aus unserer Gegend, zum Beispiel die von Bauer Schomers!

> Verwende eine Trinkflasche und trinke öfter Leitungswasser!

b Was kann man für die Umwelt tun? Schreiben Sie Tipps und Gründe wie im Beispiel.

1. gebrauchte Sachen kaufen	billiger als / genau so gut wie neue
2. im Haushalt den Müll trennen	Papier, Glas, Plastik kann man recyceln
3. elektrische Geräte ganz ausschalten	Strom sparen
4. öffentliche Verkehrsmittel benutzen	die Umwelt schützen
5. kein Fleisch essen	besser für das globale Klima sein

> Man sollte gebrauchte Sachen kaufen, weil sie meistens billiger als neue sind.
> Ich würde ...
> Du könntest ...

UND SIE?

Was sind Ihre „Umweltsünden"? Sprechen Sie.

> Ich fahre zu viel Auto, auch wenn es nicht nötig ist. Aber es ist ...

6 Umweltaktionen in unserer Stadt

a Lesen Sie die Texte. Was machen die Leute und warum? Sprechen Sie.

Ⓐ

Der Frühling ist wieder da und alles blüht! Endlich kann man wieder im Park auf der Wiese sein!

Aber leider liegt überall Abfall: Plastikflaschen, Getränkedosen, Zigarettenkippen und sonstiger Müll – den wollen wir aufheben!

Macht alle mit bei unserer großen **Müllsammelaktion im Park** am Sonntag ab 14 Uhr!

Bitte Handschuhe und Mülltüten mitbringen!

Ⓑ

❀ **Große Pflanzaktion** ❀
im Stadtwald

Bäume holen den Dreck von den Abgasen aus der Luft und geben uns so die saubere Luft, die wir zum Atmen benötigen.

❀ Wir brauchen den Wald ❀ und der Wald braucht uns!

Kommt zu der Pflanzaktion am Samstag, wir suchen noch freiwillige Helferinnen und Helfer! ❀

Treffpunkt Sonnabend 9 Uhr ❀ am Waldparkplatz

Ⓒ

HOME | PROJEKTE | ÜBER UNS

Interkultureller Garten

Zusammen Obst und Gemüse anbauen, Tipps austauschen, sich um unsere Bienen kümmern, zusammen ernten, kochen und essen – unser interkultureller Garten ist ein Ort der Begegnung und der Gemeinschaft in der Großstadt! Neue Gärtnerinnen und Gärtner aus allen Kulturen sind immer willkommen!

Wir treffen uns von April bis September jeden Mittwoch und Samstag ab 14 Uhr in der Kleingartenanlage Südwest.

🎧 2.40 – 42 **b** Hören Sie drei Dialoge. Person A notiert Argumente für die Aktionen, Person B Argumente dagegen. Tauschen Sie sich dann aus.

c Bei welcher Aktion würden Sie mitmachen? Spielen Sie Dialoge. Eine Person ist dafür, eine hat Zweifel.

jemanden von etwas überzeugen	Zweifel äußern	Zweifel entkräften
Ich finde diese Aktion gut.	Das ist doch sinnlos!	Irgendjemand muss doch mal anfangen, etwas zu tun.
Es ist sinnvoll, etwas für … zu tun.	Das bringt doch nichts!	Doch, natürlich bringt das etwas.
Man sieht gleich, was man geschafft hat.	Das ist mir viel zu anstrengend.	Komm, du schaffst das schon!
Da können wir uns ganz praktisch engagieren.	Warum soll ich da mitmachen?	Es wäre einfach toll, wenn du mitmachen würdest!
Da kann man viel lernen.		Wieso? Ich denke, das
Das macht Spaß.	Ich glaube nicht, dass das	klappt schon!
Das ist sicher interessant!	funktioniert.	Dann könnten wir einfach …
	Und was ist, wenn …?	

UND SIE?

Umweltschutz im Alltag – Diskutieren Sie im Kurs. Überzeugen Sie die anderen.

Zu Hause den Müll trennen.   oder   Eine andere Aktion, die Sie gut finden.

7 Mein Jahr für die Umwelt

a Davids Blog – Lesen Sie den ersten Absatz. Was ist ein FÖJ?

Hi, willkommen bei meinem Blog aus dem Freiwilligen Ökologischen Jahr, kurz FÖJ. Ich freue mich, dass ihr meinen Blog lest! FÖJ heißt, man arbeitet ein Jahr in einem Umweltschutzprojekt mit. Als FÖJler bekommt man ein Taschengeld, man wird versichert und besucht Seminare, um sich mit anderen auszutauschen.

b Lesen Sie weiter. Ordnen Sie die grün gedruckten Ausdrücke den Bildern zu.

Ich mache mein FÖJ in der Waldschule. Die Arbeit hier ist sehr spannend und interessant! Nur das Wetter ist nicht so toll: Es hat bisher wahnsinnig viel geregnet! Der einzige Vorteil des Regens ist, dass es kurze Zeit weniger Insekten und keine Mücken gibt 🙂, nach dem Regen sind es aber mehr …

Wir gehen immer zusammen mit den Kindern und Jugendlichen in den Wald. Dort suchen wir Spuren von den wilden Tieren, die da leben, und erklären den Gruppen die Pflanzen, die im Wald wachsen. Aber wir klären sie auch über die Bedeutung des Waldes für die Luft und für das Klima auf der Erde auf. Oft machen wir auch ein Feuer und grillen zusammen.

Die praktische Arbeit macht Spaß, kann aber auch ganz schön anstrengend sein: Gestern haben mir nach zwei Stunden Holz hacken alle Muskeln wehgetan 😞.

Früher dachte ich immer, ich möchte als Wissenschaftler in der Forschung etwas gegen die Umweltverschmutzung tun und zum Beispiel im Labor analysieren, ob Gift im Wasser oder im Boden ist. Aber jetzt gefällt mir die Arbeit mit den Kindern hier so gut, dass ich in Zukunft unbedingt mit Kindern arbeiten möchte!

Nächste Woche haben wir unser erstes Seminar. Da können wir uns dann mit anderen Freiwilligen austauschen und hören auch Vorträge von Experten zu Umweltthemen. Das wird sicher interessant – ich werde aufmerksam zuhören und dann berichten! So, jetzt verabschiede ich mich für heute, bleibt mir treu und lest und kommentiert fleißig 😉.

c Lesen Sie den Text noch einmal und notieren Sie: Was findet David in seinem Freiwilligen Ökologischen Jahr gut, was nicht? Vergleichen Sie dann Ihre Notizen.

Die Arbeit ist spannend und interessant

d Schreiben Sie einen Kommentar zu dem Blog.

VORHANG AUF

Jede Gruppe wählt ein Thema. Notieren Sie Fragen und stellen Sie sie einer Person aus der anderen Gruppe.

Energie sparen, aber wie?

Heizung
Duschen
Strom
Wäsche
Lüften

Umweltfreundlich einkaufen

Weg
Verpackung
Geschäft
Produkt
Bio

Machst du das Licht aus, wenn du aus dem Zimmer gehst?

ÜBUNGEN

1 Das geht auch anders!

Wie heißen die Dinge? Notieren Sie die passenden Wörter.

1. Im Winter, wenn es kalt ist, braucht man eine …

Heizung

2. In Deutschland trennt man den …

_ _ _ _

3. Es ist besser, mit dem … zu fahren als mit dem Auto.

_ _ _ _ _ _ _

4. Viele Menschen nehmen einen Einkaufskorb, weil sie keine … wollen.

_ _ _ _ _ _ _ _ _ _ _

5. Wenn man kocht, soll man einen … auf den Topf legen.

_ _ _ _ _ _

6. Wenn man die Lampen ausschaltet, kann man … sparen.

_ _ _ _ _ _

Deckel • Energie • Fahrrad • Heizung • Müll • Plastiktüte

2 Das ist zu teuer.

a Lesen Sie und kreuzen Sie an: richtig oder falsch?

Was für Energiespartypen seid ihr?
Schreibt uns über eure Erfahrungen und was ihr bei diesem wichtigen Thema tut!

Mika73

Ganz ehrlich? Natürlich spare ich auch Energie, schließlich kosten Strom und Heizung viel Geld. Aber ich habe keine Lust, bestimmte Sachen nicht zu machen, weil man zu viel Energie braucht. Ich ziehe zum Beispiel auch im Winter im Büro keine warme Kleidung an – die Heizkosten zahlt ja mein Arbeitgeber 😉. Papier, Glas und Restmüll kommen bei mir alle zusammen in den Müll, das ist viel einfacher. Aber beim Autofahren spare ich total viel Energie: Ich habe nämlich gar kein Auto und fahre viel lieber Fahrrad.

Terry

Energiesparen finde ich total wichtig, schließlich haben wir nur eine Erde. Ich kann nicht verstehen, wenn jemand das nicht ernst nimmt. Für mich ist es selbstverständlich, dass ich zu Hause nur Energiesparlampen habe, aber wenn ich weggehe, vergesse ich manchmal, die Geräte auszuschalten, und lasse sie im Standby-Modus. Ich bade nur ganz selten, aber ich dusche täglich. Leider bin ich beruflich viel unterwegs, da muss ich manchmal fliegen oder Auto fahren. Aber wenn es möglich ist, dann fahre ich mit dem Zug.

	R	F
1. Mika73 spart Energie, weil es dann billiger für sie ist.	◯	◯
2. Sie heizt zu Hause viel, damit sie auch im Winter T-Shirts tragen kann.	◯	◯
3. Mülltrennung findet sie kompliziert, deshalb macht sie das nicht.	◯	◯
4. Terry ist der Meinung, dass alle Energie sparen sollen.	◯	◯
5. Er schaltet immer alle Geräte aus, wenn er nicht zu Hause ist.	◯	◯
6. Auf Reisen benutzt er lieber das Flugzeug als den Zug.	◯	◯

b Schreiben Sie selbst einen Beitrag wie in 2a.

c **Wie kann man zu Hause Energie sparen? Notieren Sie Tipps.**

1. *Man soll lieber* ....

2. *Wenn Ihnen kalt ist,* ....

3. *Machen Sie* ....

4. *Der Kühlschrank soll* ....

5. *Ziehen Sie* ....

3 Da hast du recht!

a **Was passt zusammen? Verbinden Sie.**

1. Ich bin der Meinung, dass man ...
2. Ich muss dir widersprechen, denn ...
3. Jeder kann behaupten, dass ...
4. Meiner Meinung nach ...
5. Ich bin einverstanden mit ...
6. Das stimmt zum Teil, aber es ...
7. Man darf nicht vergessen, ...

a) er viel für die Umwelt tut.
b) gibt immer noch viel zu verbessern.
c) dass viele kein Geld für neue Geräte haben.
d) können wir alle etwas ändern.
e) auch Papiertüten sind nicht umweltfreundlich.
f) keine Plastiktüten verwenden sollte.
g) dem Verbot von alten Elektrogeräten.

b **Wie ist Ihre Meinung? Kommentieren Sie die Aussagen mit den Redemitteln aus 3a im Kursbuch auf Seite 99. Begründen Sie Ihre Meinung.**

1. In der eigenen Wohnung Energie zu sparen bringt nichts.

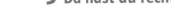

Das sehe ich anders, denn ....

2. Plastikflaschen sind besser als Glasflaschen.

....

3. Es muss strenge Gesetze für den Umweltschutz geben.

....

4. Umweltschutz ist nicht wichtig, die Natur schafft das allein.

....

♫ 2.43 c **Aussprache: *sp* und *st*. Markieren Sie in zwei Farben: Spricht man *sch* oder *s*? Hören Sie dann zur Kontrolle.**

1. ko**s**ten   4. Stoff   7. Respekt   10. Beispiel

2. spät   5. Gespräch   8. musst   11. anstrengend

3. selbst   6. streng   9. bestimmt   12. entspannt

♫ 2.43 d **Hören Sie noch einmal und sprechen Sie nach.**

4 Mein Gemüse wird auf dem Markt verkauft.

a Markieren Sie die Wörter zum Thema Bauernhof. Schreiben Sie auch Artikel und Plural, wenn möglich.

D	O	B	S	T	B	R	E	L
A	R	A	T	I	O	V	O	M
G	E	U	G	L	W	X	S	I
E	P	E	R	N	T	E	C	K
M	Q	R	A	M	T	Ö	H	E
Ü	M	N	S	C	X	E	W	Z
S	T	A	L	L	W	H	E	G
E	F	D	E	U	G	I	I	S
A	Y	K	R	S	R	I	N	C
B	H	U	H	N	U	C	T	H
O	K	H	V	Ä	Z	W	N	A
P	R	O	D	U	K	T	O	F

1. *das Gemüse (nur Sg.)*
2. ....
3. ....
4. ....
5. ....
6. ....
7. ....
8. ....
9. ....
10. ....

b Lesen Sie die Beschreibung und ergänzen Sie die passende Form von *werden*.

Wie wird Erdbeermarmelade gemacht?

Zuerst (1) *werden*.................... die reifen Erdbeeren gesammelt. Zu Hause (2) .... das Obst

gewaschen. Die Erdbeeren (3) .... zusammen mit Zucker gekocht. Das fertige Produkt

(4) .... dann in ein sauberes Glas getan. Das Glas (5) .... geschlossen und

dann muss man nur noch warten, bis die Marmelade kalt ist.

c So wird Gemüsesuppe gekocht – Schreiben Sie die Sätze im Passiv.

1. schneiden / das Gemüse / in kleine Stücke
2. in Butter braten / die Zwiebeln / kurz
3. tun / das Gemüse / in den Topf
4. gießen / Wasser / dazu
5. kochen / die Suppe / eine halbe Stunde

1. Zuerst wird das Gemüse ...

d Zu Hause wird viel gemacht. Schreiben Sie zu jedem Bild einen Satz im Passiv.

backen   bügeln   gießen   putzen   waschen   füttern

1. *Die Katze wird*
....
....

4. ....
....
....

2. ....
....
....

5. ....
....
....

3. ....
....
....

6. ....
....
....

5 Umweltschutz ganz praktisch

a Lesen Sie und ergänzen Sie die Wörter.

Viele Menschen engagieren sich heute für den (1) _Umweltschutz_. Dafür gibt es viele

(2) _M ö_ _ _ _ _ _ _ _ _ _ _ _: Zum Beispiel kaufen sie keine Getränke in (3) _D_ _ _ _ _ oder

(4) _Pl_ _ _ _ _ _flaschen. Beim Einkaufen achten sie auf (5) _re_ _ _ _ _ _ _ Produkte. Wenn

man Produkte aus der (6) _G_ _ _ _ _ _ kauft, vermeidet man einen langen (7) _Tr_ _ _ _ _ _ _ _.

Die meisten Deutschen (8) _tr_ _ _ _ _ _ den Müll, damit man zum Beispiel Papier, Glas usw.

(9) _wi_ _ _ _ _ _ve_ _ _ _ _ _ _ _ kann. Das spart (10) _En_ _ _ _ _ und Kosten.

Dosen • Energie • Gegend • Möglichkeiten • Plastik • regionale • Transport • trennen • Umweltschutz • wiederverwerten

b Welche Tipps passen zu A, welche zu B? Ordnen Sie zu.

1. Ⓐ Du solltest dich auf eine Sache konzentrieren!

2. ☐ Kauf lieber Glasflaschen!

3. ☐ An deiner Stelle würde ich selbst kochen.

4. ☐ Du könntest dich mit Freunden treffen.

5. ☐ Ich würde mich lieber gesund ernähren.

6. ☐ Mach mal einen Tag ohne Internet!

c Schreiben Sie drei Tipps für A und B. Die Sätze in 5b helfen.

1. ....

2. ....

3. ....

4. ....

5. ....

6. ....

6 Umweltaktionen in unserer Stadt

a Eine Reaktion passt nicht. Streichen Sie durch.

1. ● Machen wir zusammen bei dem
   neuen Umweltprojekt mit?

   ⓐ ○ Tolle Idee, das wollte ich schon lange machen.
   ⓑ ○ Gern geschehen, das ist doch kein Problem.
   ⓒ ○ Das ist mir viel zu anstrengend.

2. ● Ich weiß nicht, ob die Arbeit
   im interkulturellen Garten so
   passend für mich ist.

   ⓐ ○ Aber klar, das ist bestimmt interessant und macht Spaß.
   ⓑ ○ Wieso? Ich denke, das klappt schon!
   ⓒ ○ Warum soll ich da mitmachen?

3. ● Hilfst du mir, eine Umweltaktion
   im Stadtpark zu organisieren?

   ⓐ ○ Da bin ich ganz deiner Meinung.
   ⓑ ○ Da kann ich nicht mitmachen, ich bin echt im Stress.
   ⓒ ○ Gerne, da können wir endlich selbst etwas tun.

🎧 2.44 **b** Ergänzen Sie den Dialog und hören Sie zur Kontrolle.

● Hallo Tomasz, gut, dass ich dich treffe.
○ 1. *C*
● Ich wollte dich fragen, ob du nicht mit zur Aktion im Stadtwald kommst.
○ 2. ☐
● Da geht ihr doch auch immer mit euren Hunden spazieren.
○ 3. ☐
● Klar bringt das was. Und irgendjemand muss doch mal anfangen.
○ 4. ☐
● Wir sind doch nicht aus Zucker. Es macht bestimmt auch viel Spaß!
○ 5. ☐
● Ich hole dich ab, am Samstag um halb neun.

a) Na gut, du hast mich überzeugt. Wann treffen wir uns?
b) Stimmt, da liegt viel Müll herum. Hm, aber bringt das was?
c) Hi Anita. Was ist denn los?
d) Stimmt, sonst macht es niemand. Aber was ist, wenn es regnet?
e) Warum soll ich da mitmachen? Ich habe gerade ganz wenig Zeit …

🚑 Hilfe? – Hören Sie zuerst und ordnen Sie dann.

🎧 2.45 **c** Hören Sie Anita noch einmal und sprechen Sie die Rolle von Tomasz.

7 Mein Jahr für die Umwelt

a Welches Wort passt nicht? Streichen Sie durch.

1. Sonne — Regen — ~~Luft~~ — Gewitter
2. Mücke — Maus — Pflanze — Biene
3. Blume — Pflanze — Baum — Kuh
4. Muskel — Bein — Kopf — Arm
5. Holz — Pilz — Feuer — Grill
6. Gift — Wasser — Luft — Boden
7. Forschung — Universität — Beispiel — Hochschule

b Lesen Sie den Text auf Seite 103, Aufgabe 7a und b, noch einmal und kreuzen Sie an: richtig oder falsch?

	R	F
1. David ist ein halbes Jahr lang für den Umweltschutz tätig.	☐	☒
2. Das Wetter war schlecht, trotzdem gefällt David seine Tätigkeit.	☐	☐
3. Zusammen mit den Jugendlichen kümmert sich David um den Wald.	☐	☐
4. Die Jugendlichen sollen lernen, wie wichtig der Wald für die Umwelt ist.	☐	☐
5. Die praktische Arbeit findet David leicht.	☐	☐
6. Das Freiwillige Ökologische Jahr hat den Berufswunsch von David verändert.	☐	☐
7. Im Seminar planen die Freiwilligen mit Experten neue Umweltprojekte.	☐	☐

P
🎧 2.46

c Sie hören eine Radiodiskussion. Die Moderatorin diskutiert mit dem Biologielehrer Hans Bloch und der Berufsberaterin Rita Tauber über das Thema „Ökologisches Praktikum für alle Schüler". Ordnen Sie die Aussagen zu: Wer sagt was?

	Moderatorin	Bloch	Tauber
Beispiel: Die Schüler heute sind umweltfreundlicher als früher.	ⓐ	ⓧ	ⓒ
1. Früher gab es auch engagierte Schüler.	ⓐ	ⓑ	ⓒ
2. Schülern gefällt das Praktikum.	ⓐ	ⓑ	ⓒ
3. Ein Praktikum hilft dabei, den richtigen Beruf zu finden.	ⓐ	ⓑ	ⓒ
4. Während eines Schuljahres könnte man bestimmte Zeiten für Projekte nutzen.	ⓐ	ⓑ	ⓒ
5. Im Praktikum arbeiten die Schüler ohne Bezahlung.	ⓐ	ⓑ	ⓒ
6. Auch ohne Praktika würde es nicht mehr Arbeitsplätze geben.	ⓐ	ⓑ	ⓒ
7. Es sollte mehr Praktika geben.	ⓐ	ⓑ	ⓒ
8. Schüler sollen in den Ferien arbeiten.	ⓐ	ⓑ	ⓒ

WORTBILDUNG: Substantive auf *-heit/-keit* – Bilden Sie die Wörter und ordnen Sie zu.

~~berühmt~~   Mensch   pünktlich   gemeinsam

Kind   frei   gesund   fähig   krank   wahr

tätig   wichtig   sehenswürdig   möglich

> Wörter auf *-heit* und *-keit* sind immer feminin: ☺
> *die Krankheit*,
> Plural: *Krankheiten*.

Nomen + *-heit*	Adjektiv (mit einer Silbe oder Betonung am Ende) + *-heit*	Adjektiv auf *-ig/-lich/-sam* + *-keit*
	die Berühmtheit,	

RICHTIG SCHREIBEN: Groß- und Kleinschreibung

Markieren Sie die Wortgrenzen und schreiben Sie den Text dann richtig. Die Satzzeichen helfen.

FAMILIE|MÜLLER|MÖCHTE|INZUKUNFTUMWELTFREUNDLICHERLEBEN,DESHALBHAT SIEVIELIMINTERNETRECHERCHIERT.DIEKINDERMACHENDASLICHTAUS,WENNSIEALS LETZTEDASZIMMERVERLASSEN.FRAUMÜLLERFÄHRTWENIGERAUTOUNDHERRMÜLLER PRÜFT,OBDIEGERÄTEZUVIELENERGIEBRAUCHEN.WENNSIEGELDSPAREN,WOLLENSIE ZUSAMMENINDASTOLLESCHWIMMBADGEHEN.

Familie Müller möchte in _____

....

....

....

....

....

....

....

Mein Deutsch nach Kapitel 7

Das kann ich:

diskutieren: zustimmen, widersprechen, abwägen

| Mülltrennung in der Sprachschule | Bio-Essen in Kantinen |

Wählen Sie ein Thema und diskutieren Sie.

> In unserer Sprachschule wird der Müll …

Umwelttipps geben

> Meine Stromrechnung ist zu hoch!

Geben Sie zwei Tipps.

> Sie sollten …

> Wenn Sie …, dann …

> Vielleicht könnten Sie …

> An Ihrer Stelle würde ich …

---

jemanden überzeugen, Zweifel äußern und entkräften

Person A

Sie möchten am Samstag den Hof aufräumen und bitten Ihren Nachbarn / Ihre Nachbarin um Hilfe.

Person B

Sie wollen am Samstag ausruhen, weil Sie viel Stress in der Arbeit hatten. Das Wetter wird schlecht sein.

Sprechen Sie und überzeugen Sie Ihren Partner / Ihre Partnerin.

> Ich möchte am Samstag …

> Ich verstehe, aber …

---

einen Kommentar schreiben

Was halten Sie von Umweltaktionen?

Sansan89: Also, ich finde solche Aktionen für die Umwelt nicht sinnvoll. Das macht man einmal und danach ist alles wieder wie vorher. Meiner Meinung nach sollte jeder im Alltag umweltfreundlich leben, dann hätten wir keine Probleme.

Lesen Sie den Kommentar und schreiben Sie eine Reaktion.

Ich finde auch/nicht …
… sehe ich anders.
Ganz so einfach ist das nicht.
Eigentlich hat sansan89 recht, aber …
Ich habe eine andere Meinung als sansan89.
Ich habe die gleiche Meinung wie sansan89.

www → B1/K7

Das kenne ich:

(G)

Passiv

	werden: Position 2		Partizip: Ende
Zuerst	werden	die Früchte	angebaut.
Jeden Freitag	wird	die Ware frisch	geerntet.
Die Stände	werden	ab fünf Uhr	aufgebaut.
Die Ware	wird	ab sechs Uhr	geliefert.

Passiv 😊
Wichtig ist: Was passiert?
nicht: Wer macht etwas?

[G]

Kultur an der Ruhr

GUTSCHEIN!

B

Starlight Express Bochum
Das Musical der Superlative!
SPANNUNG, EMOTIONEN, ARTISTIK, MUSIK!
Auch Sie werden es lieben!

STARLIGHT EXPRESS

TM-© 1984 RUG Ltd.

A

Liebe Frau Wilhelm, liebe Frau Nowak,

herzlichen Glückwunsch, Ihr Foto war das beste und Sie haben gewonnen!

Das ist Ihr Preis:
• Zwei Karten für das Musical „Starlight-Express"
• Zwei Hotelübernachtungen
• Zwei Reisegutscheine

Und hier noch ein paar Tipps für Ihr Wochenende im Ruhrgebiet:

Recklinghausen

Bottrop · Gelsenkirchen · Dortmund

Oberhausen · Essen · Bochum

Mülheim

Duisburg

C

Zeche Zollverein, Essen

Wo früher Bergleute Kohle abgebaut haben, gibt es heute Führungen, Museen, ein Schwimmbad, Cafés und vieles mehr – ein Besuch lohnt sich immer!

D

Lange Nacht der Industriekultur

Erleben Sie Auftritte bekannter Künstler und Stars, Lichtkunst und mehr an und in früheren Industriegebäuden!

1 Super, wir haben gewonnen!

a Sehen Sie die Bilder und die Karte an und lesen Sie die Informationen. Sprechen Sie dann über die Fragen.

Wo ist das Ruhrgebiet?   Welche Städte gibt es da?   Was ist typisch für die Region?
        Was kann man dort machen?   Waren Sie schon einmal im Ruhrgebiet?

🎧 2.47 **b** Elke Wilhelm und Dana Nowak sprechen über ihre Reise ins Ruhrgebiet. Hören Sie und machen Sie Notizen. Vergleichen Sie Ihre Ergebnisse mit Ihrer Parterin / Ihrem Partner.

1. Termin: ....   3. Besuch bei: ....

2. Ort: ....   4. Veranstaltung: ....

Sprechen gemeinsam etwas planen; sich über Interessen austauschen; über kulturelle Angebote sprechen; von interessanten Ereignissen erzählen; Begeisterung/Enttäuschung ausdrücken | **Hören** Gespräche über kulturelle Veranstaltungen | **Schreiben** Einladung mit Vorschlägen | **Lesen** Skype-Chat; Postkarte; Zeitungsartikel über einen Kiosk | **Beruf** Kioskbesitzer

2 Das ist los im Ruhrgebiet!

a Was interessiert Sie, wenn Sie in einer neuen Stadt sind? Sprechen Sie.

b Elke Wilhelm und Dana Nowak planen ihr Wochenende im Ruhrgebiet. Lesen Sie. Wer schlägt was vor?

Skihalle　Disco　Radtour　Zeche Zollverein　Bergbau-Museum　Lange Nacht der Industriekultur

 ☆ **Elke Wilhelm** ✔ Online　　　　　　　Videoanruf ▾

3. Juni

 Elke Wilhelm
Hallo, Frau Nowak! Ich freue mich schon so auf unser Wochenende in Bochum!
Sind Sie einverstanden, wenn wir mit dem Zug fahren? 12:34

 Dana Nowak
Ja, meinetwegen sehr gerne mit dem Zug! Zum Programm:
Ich habe im Internet noch etwas gefunden – haben Sie Lust auf
einen Tag im Schnee? In der Skihalle in Bottrop kann man auch
im Sommer Ski fahren. Das ist verrückt, oder? 12:36

 Elke Wilhelm
Ehrlich gesagt: Skifahren im Sommer möchte ich nicht, da ärgere ich
mich zu sehr über die Energieverschwendung! Und ich habe Angst vor
Verletzungen. Was halten Sie aber von einer Radtour? Wir könnten auf
dem Ruhrtalradweg eine Radtour machen! 12:41

 Dana Nowak
Natur haben wir doch hier auch genug! Aber wir könnten am Samstagabend tanzen gehen,
zum Beispiel in die Disco „Viva Polonia". 12:46

 Elke Wilhelm
Hm. Disco ist nichts für mich. Aber ich interessiere mich sehr für die Lange Nacht der Industrie-
kultur. Ich möchte auch in die Zeche Zollverein und in das Bergbau-Museum in Bochum gehen.
Das sind doch die sehenswerten Ziele in einem ehemaligen Industriegebiet! 12:50

 Dana Nowak
Gute Idee! Sollen wir morgen beim Mittagessen über alles sprechen und das Wochenende
planen? 12:53

 Elke Wilhelm
Einverstanden, dann bis morgen! 12:55

c Lesen Sie die Texte noch einmal. Ergänzen Sie die Präpositionen und schreiben Sie die Sätze zu Ende.

Ich freue mich ....　　　Was halten Sie ....　　　Ich habe Angst ....

Ich habe Lust ....　　　Ich ärgere mich ....　　　Ich interessiere mich ....

d Machen Sie im Kurs eine Liste von Verben und Nomen mit Präposition.

> *Mit Akkusativ*　　*Mit Dativ*
> *sich freuen auf*　*Angst haben vor*
> *Lust haben auf*　*...*

> Lernen Sie die Ausdrücke mit 😊
> Präposition immer in einem Satz!

e Machen Sie eine Kettenübung mit den Ausdrücken aus 2c und 2d.

> Ich freue mich auf den
> Sommer. Und du?

> Ich freue mich auch auf den Sommer.
> Ich habe Lust auf ein Eis. Und du?

> Ich habe keine Lust auf Eis.
> Ich habe Lust auf Pommes.
> Ich habe Angst vor ...

3 Worauf haben Sie Lust?

a ∩ 2.48 Hören Sie das Gespräch. A macht Notizen zu Samstag, B zu Sonntag. Dann tauschen Sie sich aus.

> Am Samstag möchten sie …

b Lesen Sie die Sätze aus dem Dialog und ergänzen Sie die Tabelle.

- Ich interessiere mich sehr für das Bergbau-Museum.
- ○ Ja, das finde ich auch total spannend. Und wofür interessierst du dich noch?
- Für die Zeche Zollverein. Da kann man so viel machen! Sogar noch mehr als im Bergbau-Museum.
- ○ Ja, dafür interessiere ich mich auch.
- Worauf hast du denn Lust? Auf die Lange Nacht der Industriekultur?
- ○ Ja, darauf habe ich auch Lust.

FOKUS Fragewörter mit *wo*… und Pronominaladverbien mit *da*… (G)

- Wofür interessierst du dich?   ○ .... die Zeche Zollverein.
- Dafür interessiere ich mich auch.

- .... hast du denn Lust?   ○ Auf die Lange Nacht der Industriekultur.

- .... habe ich auch Lust.

Weitere Fragewörter und Pronominaladverbien funktionieren genauso:
von, wovon, davon;   vor, wovor, davor …
auf, worauf, darauf;   über, worüber, darüber …

⚠ wor… und dar…, wenn die Präposition mit einem Vokal beginnt.

---

c Ergänzen Sie die Dialoge und sprechen Sie.

1. ● *Worauf* wartest du?   ○ .... die Pause.   ● .... warte ich auch.
2. ● .... ärgerst du dich?   ○ .... das Fernsehprogramm.   ● .... ärgere ich mich auch oft.
3. ● .... denkst du?   ○ .... das Wochenende.   ● .... denke ich noch nicht.

UND SIE?

Wofür interessieren Sie sich? Was möchten Sie machen? Notieren Sie drei Aktivitäten. Suchen Sie dann im Kursraum drei verschiedene Partner für diese Aktivitäten.

Aktivität	Partner/Partnerin
1.	mit ....
2.	mit ....
3.	mit ....

Aktivität	Partner/Partnerin
1. Kino	mit Ruben
2.	
3.	

> Ich interessiere mich für Filme. Interessierst du dich auch dafür?

> Tut mir leid, aber für Filme interessiere ich mich nicht. Aber hast du vielleicht Lust auf …?

> Ja, gerne, darauf habe ich immer Lust!

4 Das Musical war ganz super!

a Lesen Sie den Chat von Dana Nowak und die Postkarte von Elke Wilhelm. Wie haben ihnen das Musical und die Zeche Zollverein gefallen? Warum?

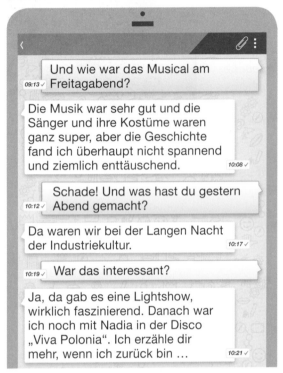

> Und wie war das Musical am Freitagabend?
> 09:13 ✓

> Die Musik war sehr gut und die Sänger und ihre Kostüme waren ganz super, aber die Geschichte fand ich überhaupt nicht spannend und ziemlich enttäuschend.
> 10:08 ✓

> Schade! Und was hast du gestern Abend gemacht?
> 10:12 ✓

> Da waren wir bei der Langen Nacht der Industriekultur.
> 10:17 ✓

> War das interessant?
> 10:19 ✓

> Ja, da gab es eine Lightshow, wirklich faszinierend. Danach war ich noch mit Nadia in der Disco „Viva Polonia". Ich erzähle dir mehr, wenn ich zurück bin ...
> 10:21 ✓

Liebe Ursula,

stell dir vor, meine Kollegin und ich haben eine Reise nach Bochum gewonnen. Am Freitagabend waren wir im „Starlight Express". Das Musical war total faszinierend. Besonders toll fand ich, wie schnell die Schauspieler und Sänger auf den Rollschuhen waren und auch noch gesungen haben. Eine große Leistung! Heute haben wir die Zeche Zollverein besucht. Da gab es auch ein Museum. Dort konnte man sehen, wie die Leute früher gearbeitet haben. Das war unglaublich interessant.

Liebe Grüße,
Elke

b Wie drücken Dana Nowak und Elke Wilhelm ihre Begeisterung bzw. Enttäuschung aus? Markieren Sie Ausdrücke wie *ganz super*, *ziemlich enttäuschend*, ... in den Texten.

♪ 2.49 **c** Aussprache: Wie werden die Aussagen verstärkt? Hören Sie und markieren Sie das betonte Wort.

1. Das Musical war total faszinierend.

2. Das Musical war ziemlich enttäuschend.

3. Ich fand das Museum sehr interessant.

4. Ich fand das Museum ganz langweilig.

5. Die Musik hat mir wirklich gut gefallen.

6. Die Musik hat mir überhaupt nicht gefallen.

7. Die Sänger haben echt super gesungen.

8. Die Sänger haben unglaublich schlecht gesungen.

♪ 2.49 **d** Hören Sie noch einmal und sprechen Sie nach.

e Bilden Sie eigene Beispiele.

| der Film | das Buch | das Konzert | die Ausstellung | das Bild | ... |

> Der Film hat mir **wirklich** gut gefallen.

> Der Film hat mir **überhaupt** nicht gefallen.

UND SIE?

Unterhalten Sie sich über interessante Erlebnisse (Fußballspiel, Konzert, Disco, Restaurant ...). Wann? Wo? Was? Mit wem? Wie hat es Ihnen gefallen?

> Am Wochenende habe ich den Film ... im Kino gesehen.

> Und wie hat er dir gefallen?

a Lesen Sie den Text. Wer ist wer? Ergänzen Sie die Zahlen.

Dana
23. Mai
um 11:10

Der kleine Sven, auf dem Arm von meiner Cousine Sybille, immer aktiv dabei. Unser Grillmeister, mein Cousin Jakob, bei seiner Lieblingsbeschäftigung! Meine Oma, immer neugierig, aber leider schon etwas schwerhörig! Links und rechts von ihr Thorsten und Laura, ihre Enkel.

Gefällt mir   Kommentar   Teilen

Sven ....   Jakob ....   Oma ....   Sybille ....   Laura ....   Thorsten ....

b 2.50 **Hören Sie das Gespräch. Worüber sprechen die Personen? Kreuzen Sie an.**

☐ Arbeit   ☐ Fußball   ☐ Disco   ☐ Zeche Zollverein   ☐ Wetter   ☐ Musical

c 2.50 **Was fragt die Oma? Hören Sie noch einmal und ergänzen Sie.**

Über wen?   Mit wem?   Von wem?   An wen?

● Wie bitte? _Mit wem_............ hast du dich getroffen?   ● .... hast du geträumt?

● .... habt ihr euch aufgeregt?   ● .... müssen Sie dauernd denken?

d Lesen und ergänzen Sie die Sätze.

(G)

FOKUS   Frage nach Personen bei Verben mit Präpositionen

mit Akkusativ
● Über wen hast du dich aufgeregt?
○ Über den DJ.
◐ Über ihn habe ich mich auch aufgeregt.

.... denkst du oft?

.... wartest du?

mit Dativ
● Mit wem hast du dich getroffen?
○ Mit meiner Freundin.
◐ Mit ihr treffe ich mich jeden Samstag.

.... hast du geträumt?

	Bei Personen:		**Bei Sachen:**	
denken	**An wen?**	An meinen Freund.	**Woran?**	An meinen Geburtstag.
sich aufregen	**Über wen?**	Über den DJ.	**Worüber?**	Über den Lärm.
erzählen	**Von wem?**	Von meinen Eltern.	**Wovon?**	Von meinem Urlaub.

UND SIE?

Wählen Sie.

Beantworten Sie die Fragen. Fragen Sie dann Ihre Partnerin / Ihren Partner und machen Sie Notizen.   ◄ oder ►   Schreiben Sie zu den Fragen einen kleinen Text.

	ich	Partner/in
1. An wen denkst du oft?		
2. Wovon träumst du manchmal?		
3. Mit wem triffst du dich gern?		
4. Worüber ärgerst du dich manchmal?		

K8-2 **6 Beruf: Kioskbesitzer**

a Was ist ein Kiosk? Was kann man dort kaufen?
Sammeln Sie im Kurs.

> Das ist ein ...
> Man kann wahrscheinlich Getränke,
> Zigaretten, ...

b Lesen Sie den Artikel und ordnen Sie die Überschriften den Abschnitten A bis E zu.

Angebot von „Büdchen"   Zukunft der „Büdchen"   ~~Verschiedene Wörter~~

Treffpunkt in der Nachbarschaft   Horsts Kunden

„Komma bei mich bei"

Wer bei Horst am Kiosk steht, glaubt vielleicht, dass er im Ausland ist. Aber das stimmt natürlich nicht. Hier ist man mitten in Deutschland, genau-
er gesagt im „Kohlenpott", wie das Ruhrgebiet bei
5 den Einheimischen heißt. Und „Komma bei mich bei" bedeutet auf Hochdeutsch nichts anderes als „Komm mal bei mir vorbei". Es gibt viele Ausdrücke auf „Ruhrpott-Deutsch". „Auf Maloche gehen" heißt „zur Arbeit gehen" und wer ein
10 „Käffken" bestellt, bekommt einen Kaffee.

A _Verschiedene Wörter_

Wenn Stammkunde Emil zu Horst geht, geht er nicht zum Kiosk, sondern zum „Büdchen". Die Wörter für Kiosk sind in Deutschland regional verschieden, so spricht man auch von „Bude",
15 „Lädchen", „Trinkhalle" oder „Wasserhäuschen".

B ....
Natürlich verkauft Horst nicht nur Getränke. Bei ihm gibt es auch Briefmarken, Zeitungen, Zigaret-
ten, Feuerzeuge, Streichhölzer und Seife. „Mein Büdchen ist wie ein kleiner Supermarkt.", sagt
20 Horst. Besonders beliebt bei Jung und Alt sind seine „Pommes rot-weiß" (Pommes frites mit Ma-
yonnaise und Ketchup).

C ....
Kurz nach sechs kommen die ersten Kunden: Leute auf dem Weg zur Frühschicht halten kurz an, um
25 bei ihm die Morgenzeitung und frisch belegte Bröt-
chen zu kaufen. Viele Kunden kennt er persönlich, mit jedem wechselt er ein paar Worte. Nach der Schule kommen oft Kinder, um Süßigkeiten, Kau-
gummis, Schulhefte oder auch Batterien zu kaufen.

D ....
30 Die Leute kommen nicht nur zum Kiosk, um etwas zu kaufen. Der Kiosk ist zugleich Nachrichtenbörse für diese Ecke von Bochum. Wer mit wem und warum? Hier tauscht man sich aus. Wer ist neu in der Nachbarschaft? Wie hat der Lieblingsverein
35 gespielt? Wer hat geheiratet?

E ....
In den vergangenen Jahrzehnten ist die Zahl der Kioske zurückgegangen. Der Grund dafür sind die Tankstellenshops, die rund um die Uhr geöffnet haben, und Supermärkte, die immer längere
40 Öffnungszeiten anbieten.
Eigentlich schade, denkt man, wenn man hier sein „Käffken" trinkt, und wünscht sich, dass es das Büdchen von Horst noch lange gibt.

c Beantworten Sie die Fragen.

1. Was kann man bei Horst kaufen?
2. Warum gehen die Leute zu Horst?

3. Worüber sprechen die Kunden?
4. Warum gibt es immer weniger Kioske?

VORHANG AUF

Spielen Sie kurze Gespräche am Kiosk. Wählen Sie zwei Themen aus.

1. Fußball   2. Wetter   3. Familie   4. Arbeit   5. Wochenende   6. Urlaub

> Dieser Regen heute wieder! Schrecklich.

> Ja, das stimmt. Aber ...

7 Ich freue mich auf euren Besuch.

a Arbeiten Sie zu dritt. Planen Sie zusammen ein Wochenende für Freunde, die zu Besuch kommen. Welche Angebote für Freizeit und Kultur gibt es in Ihrer Stadt? Machen Sie zusammen eine Mindmap.

b Diskutieren Sie über die Angebote aus 7a und machen Sie einen Plan für das Wochenende.

> Wir könnten am Samstagnachmittag auf den Flohmarkt gehen.

> Darauf habe ich überhaupt keine Lust. Was hältst du davon, wenn wir ins Kino gehen?

Vorschläge machen		**Gegenvorschläge machen**
Ich schlage vor, wir …		Ich habe einen anderen Vorschlag.
Wir könnten …		Ich hätte eine andere Idee.
Lass uns doch …		Das ist eine gute Idee, aber …
Was halten Sie / hältst du davon, wenn …		
		Vorschläge ablehnen
Vorschlägen zustimmen		Davon halte ich nicht sehr viel.
Das ist eine gute Idee / ein guter Vorschlag.		Nein, diese Idee gefällt mir nicht.
Darauf habe ich auch (große) Lust.		Also, ich finde das nicht so gut.
Ja, genau.		Darauf habe ich keine Lust.
Das finde ich toll.		Dafür interessiere ich mich (überhaupt) nicht.

	vormittags	nachmittags	abends
Freitag			
Samstag			
Sonntag			

c Sie bekommen Besuch. Schreiben Sie eine E-Mail mit dem Programm für das Wochenende. Wählen Sie.

Schreiben Sie mit dem Muster.   **Schreiben Sie frei.**

> Liebe … / Lieber …,
> wie geht es dir? Ich freue mich, dass du …
> Ich habe schon überlegt, was wir zusammen hier unternehmen können.
> Am Freitagabend könnten wir …
> Was hältst du davon, wenn wir am Samstag …
> Am Sonntag gibt es …
> Also, schreib mir bald, wofür du dich am meisten interessierst, damit ich schon mal planen kann.
> Herzliche Grüße

d Stellen Sie den Plan Ihrer Gruppe für das Wochenende im Kurs vor. Erklären Sie auch, warum diese Aktivitäten interessant sind.

> Wir möchten euch unseren Plan für das Wochenende vorstellen. Am Freitag-vormittag besuchen wir / gehen wir in … Das ist sehr faszinierend, weil …

ÜBUNGEN

1 Super, wir haben gewonnen!

a Schreiben Sie die Wörter. Ergänzen Sie auch immer den Artikel und den Plural.

1. MICSUAL   *das Musical, die Musicals*   5. TEHETAR   ....

2. RISEE   ....   6. LUESNG   ....

3. MUESUM   ....   7. GITEUSCHN   ....

4. KRONZET   ....   8. FÜRNUHG   ....

Führung • Gutschein • Lesung • Konzert • Museum • Musical • Reise • Theater

b Im Internet lesen Sie die Kommentare.
Kreuzen Sie an: Leben die Personen gerne
im Ruhrgebiet?

1. Susanne   [Ja]   [Nein]

2. Rolf   [Ja]   [Nein]

3. Niko   [Ja]   [Nein]

4. Mira   [Ja]   [Nein]

Lebst du gerne im Ruhrgebiet?

1. Ich habe schon an vielen Orten gelebt, die schöner als das Ruhrgebiet sind. Trotzdem wohne ich gerne hier. Besonders gut finde ich, dass die Städte im Ruhrgebiet nah zusammen liegen. Mit der Bahn mal schnell in nur wenigen Minuten in die Nachbarstadt – das ist alles kein Problem.

Susanne, Essen

2. Viele denken ja, das Ruhrgebiet ist hässlich, aber diese Leute waren bestimmt noch nie hier! Wir haben sehr viele Theater, Konzerthäuser, Hochschulen und Museen. Hier gibt es auch sehr viel Grün und die beste Fußballmannschaft! 😊

Rolf, Dortmund

3. Ich bin aus beruflichen Gründen hierher gezogen. Schön finde ich es hier wirklich nicht. Aber das ist ja Geschmackssache und mein Geschmack ist das Ruhrgebiet nicht. Mir ist das alles zu eng. Man weiß nie, wo eine Stadt aufhört und wo eine neue beginnt. Und zu viele Autobahnen …

Niko, Duisburg

4. Ich bin hier geboren und groß geworden. Das Ruhrgebiet oder der „Ruhrpott", wie wir hier sagen, hat schöne und weniger schöne Ecken, aber das ist überall so. Ich finde es toll, dass hier immer was los ist. Auf dem Land zu leben wäre mir zu langweilig.

Mira, Bottrop

c Leben Sie gerne da, wo Sie jetzt wohnen? Warum (nicht)? Schreiben Sie einen kleinen Text wie in 1b.

Ich wohne jetzt seit … in …   Mir gefällt, dass …   Weniger schön finde ich, dass …

2 Das ist los im Ruhrgebiet!

2.51 **a** Hören Sie die Radiotipps. Zu welchen Veranstaltungen gibt es Informationen? Kreuzen Sie an.

Ⓐ ☐

**Fußball
Dortmund-Schalke 04**
Samstag,
15:30 Uhr

Ⓑ ☐

**Radtour für die ganze
Familie**
Treffpunkt Bahnhof Bochum
Sonntag, **11:00 Uhr**

Ⓒ ☐

Klassisches Konzert
Universität Essen
Sonntag,
11:00 Uhr

Ⓓ ☐

Starlight Express
Theater Bochum
Samstag,
20:00 Uhr

Ⓔ ☐

**Helene Fischer
Konzert**
Dortmund Konzerthaus
Freitag, **20:00 Uhr**

Ⓕ ☐

**Deutsches Bergbau-
Museum in Bochum**
Samstag, Sonntag,
10:00–17:00 Uhr

Ⓖ ☐

Frank Goosen – Lesung
Bochum „Goldkante"
Samstag
20:00 Uhr

Ⓗ ☐

**Führung durch das
Neanderthal Museum**
Sonntag,
14:00–15:00 Uhr

b Ergänzen Sie die Dialoge.

~~von~~   für   Lass uns doch   auf   über   Wie wäre es   Hast du schon Pläne   auf

Dialog 1

● Was hältst du *von* ....
einer Radtour am Sonntag?

○ Ach nein, ich habe keine Lust
.... eine Fahrradtour.

Dialog 2

● .... für
Samstagabend?

○ Ja, da liest Frank Goosen aus seinem neuen
Buch. Ich freue mich schon sehr
.... die Lesung.

Dialog 3

● ...., wenn wir am
Sonntag in ein klassisches Konzert gehen?

○ Gute Idee. Ich interessiere mich auch sehr
.... klassische Musik.

Dialog 4

● .... am Freitagabend
zum Konzert von Helene Fischer gehen.

○ Nein, ich gehe nicht mehr in so große Konzerte.
Ich ärgere mich immer ....
die teuren Tickets.

c Welche Veranstaltung aus 2a würden Sie (nicht) gerne besuchen? Ergänzen Sie die Sätze.

1. Ich habe (keine) Lust auf ....

2. Ich würde (nicht) gerne ....

3. Ich interessiere mich (nicht) für ....

4. Ich möchte (nicht) ....

3 Worauf haben Sie Lust?

a Ergänzen Sie die fehlenden Präpositionen im Text.

> Liebe Sylvia,
>
> wie geht es dir? Ich habe lange nichts mehr (1) _von_ dir gehört. Ich gehe morgen
>
> (2) .... meinem Freund in das Konzert von Helene Fischer. Alexander interessiert
>
> sich nicht (3) .... ihre Musik, aber er liebt mich und kommt mit. Er hat sich auch
>
> (4) .... die Tickets gekümmert. Seit Wochen freue ich mich (5) .... das
>
> Konzert. Gerne würde ich mich wieder (6) .... dir treffen. Dann erzähle ich dir
>
> (7) .... dem Konzert.
>
> Herzliche Grüße
>
> deine Olga

mit • um • auf • ~~von~~ • auf • für • von

b Im Café – Ordnen Sie zu und hören Sie zur Kontrolle. 🎧 2.52

● Hallo, Olga. Erzähl doch mal ein bisschen vom Konzert gestern Abend.
○ 1. [b]
● Das freut mich. Und wie hat es Alexander gefallen?
○ 2. ☐
● Wie bitte? Worüber hat er sich geärgert?
○ 3. ☐
● Verstehe. Für welche Musik interessiert er sich denn?
○ 4. ☐
● Und dann kommt er mit zu Helene Fischer? Ich glaube, er liebt dich wirklich.

a) Über die Lautstärke. Wir waren ganz vorne. Und da war es ihm zu laut.
b) Ach, es war wunderbar. Helene Fischer hat so toll gesungen.
c) Für Hip-Hop und Rap.
d) Er hat sich ein bisschen über die Lautstärke geärgert.

Hilfe? Hören Sie zuerst und ordnen Sie dann zu.

c Ergänzen Sie wie im Beispiel.

1. ● _Wofür_ interessierst du dich?   ○ Für Bücher.
   ● _Dafür_ interessiere ich mich nicht.

2. ● .... denkst du gerade?   ○ An unseren Urlaub.
   ● .... denke ich auch oft.

3. ● .... träumst du?   ○ Von einem großen Gewinn.
   ● .... träume ich auch oft.

4. ● .... hast du Lust?   ○ Auf einen Kaffee.
   ● .... habe ich auch Lust.

5. ● .... ärgerst du dich?   ○ Über die schlechte Musik.
   ● .... ärgere ich mich auch.

4 Das Musical war ganz super!

a Lesen Sie den Text. Kreuzen Sie an: richtig oder falsch?

Auch ich war da *von Ursula Hufnagel*

Eigentlich mag ich keine Musicals und ich wollte auch nie „Starlight Express"
sehen. Aber jetzt musste ich doch mit. Meine beste Freundin Birgit hatte mir
zum Geburtstag eine Karte geschenkt und auch schon ein Wochenende in
einem tollen Hotel gebucht.
Im Internet habe ich Informationen über das Musical gesucht: Weltpremiere
hatte das Stück von Andrew Lloyd Webber am 27. März 1984 in London. Seit
1988 haben über 15 Millionen Besucher das Musical in Bochum gesehen.
Und jetzt sehe ich es selbst. Ich kann nur sagen: faszinierend! Die Schauspieler singen, spielen und
tanzen. Und dabei fahren sie auch noch auf Rollschuhen mit bis zu 60 Stundenkilometern und mitten
durch die Zuschauer. Unglaublich! Man muss es selbst live erleben. Ich werde morgen meine Nichte
fragen, ob sie nicht Lust hat, mit mir nächsten Monat nach Bochum zu fahren …

	R	F
1. Ursula Hufnagel geht oft in Musicals.	☐	☐
2. Das Musical läuft seit 1988 in Bochum.	☐	☐
3. Ursula Hufnagel war mit ihrer Nichte im Musical.	☐	☐
4. Das Musical „Starlight Express" hat Ursula Hufnagel gut gefallen.	☐	☐

♫ 2.53 **b** Aussprache: Hören Sie. Markieren Sie die Silben/Wörter, die betont werden.

Dieses Theaterstück müssen Sie **un**bedingt sehen.

Die Schauspieler sind unglaublich gut und die Dialoge total lustig.

Das Stück ist nie langweilig, sondern immer spannend.

Dieses Theaterstück dürfen Sie auf keinen Fall verpassen.

♫ 2.54 **c** Hören Sie die Sätze aus 4b noch einmal und sprechen Sie nach.

5 Bei Danas Verwandten

a Lesen Sie die E-Mail und beantworten Sie die Fragen.

Hallo Luisa,
heute habe ich mich so über meine Eltern geärgert! Ich wollte zu meiner
Freundin Eva nach Madrid fahren und ich habe mich schon sehr auf Eva
gefreut – sie hat ein tolles Foto geschickt. Aber heute haben mir meine
Eltern gesagt, dass ich nicht allein fahren darf. Ich bin echt sauer.
Ich würde mich gerne wieder mit dir treffen. Wann hast du mal Zeit?
Dann kann ich dir auch von Sven erzählen. Den habe ich letzte Woche
in einem Club kennengelernt.
Herzliche Grüße
deine Freundin Sara

1. Über wen hat sich Sara geärgert?   *Sara hat sich über* ....

2. Auf wen hat sie sich gefreut?   ....

3. Mit wem will sich Sara treffen?   ....

4. Von wem will Sara ihrer Freundin erzählen? ....

b Ergänzen Sie.

1. *Auf wen* _____ freust du dich?　　　Auf meinen Bruder.

2. _____ freust du dich?　　　Auf deinen Besuch.

3. _____ denkst du gerade?　　　An unseren Ausflug.

4. _____ denkst du?　　　An meine Eltern.

5. _____ träumst du?　　　Von meinem Traumjob.

6. _____ träumst du?　　　Von meiner Traumfrau.

7. _____ habt ihr gesprochen?　　　Über das Wetter.

8. _____ habt ihr gesprochen?　　　Über die Musiker.

Wovon • Auf wen • Woran • Worauf • Über wen • An wen • Von wem • Worüber

c Schreiben Sie sechs Fragen und Antworten.

Wovon	sich ärgern		Freundin/Freund
Woran	sich freuen	von	
Worauf	träumen		Oma/Opa
Worüber			Musik
Von wem	sich interessieren	für	
An wen	warten	auf	Urlaub Heimat
Auf wen	denken erzählen		
Wofür		über	Handy Lehrer
Über wen	...		Auto Eis
Für wen	Lust haben	an	...

1. *Worüber ärgert ihr euch? – Über die laute Musik.*
2. *Von wem hat Dana erzählt? – Von ihrer Oma.*

6 Beruf: Kioskbesitzer

2.55 – 58　**Smalltalk am Kiosk – In welche Dialoge passen die Sätze?
Ergänzen Sie. Hören Sie zur Kontrolle.**

Im Moment haben wir viel zu tun.

　　　　Und am Sonntag besuchen wir meine Eltern.

Ja, bis zur letzten Minute.

　　　　Ach, das weißt du ja noch gar nicht.

Dialog 1
● Sag mal, was macht denn dein Sohn?
　Den hab ich ja schon lange nicht mehr gesehen.

○ _____
　Der ist jetzt ausgezogen und hat eine neue Wohnung.

Dialog 2
● Und wie läuft es in der Firma?

○ _____
　Ich muss morgen sogar länger arbeiten.

Dialog 3
● Hast du das Spiel auch gesehen?
　Unglaublich spannend.

○ _____

Dialog 4
● Und was machst du am Wochenende?
○ Am Samstag arbeite ich im Garten.

_____

7 Ich freue mich auf euren Besuch.

a Ordnen Sie die E-Mail und schreiben Sie sie in Ihr Heft.

.... zuerst das tolle Musical und dann der Besuch

.... Herzliche Grüße Dana

.... Grillmeister weltweit ☺. Was haltet ihr davon,

...*1*... Liebe Sybille, lieber Jakob,

.... bei euch. Jochen, du bist wirklich der beste

.... wie geht es euch? Ich hoffe gut. Ich bin wieder

.... mich hier zu besuchen? Auch meine Kollegin würde euch gerne

.... dann kann ich mich schon mal informieren, was wir unternehmen können.

.... wiedersehen. Hier gibt es einen tollen Zoo. Da könnten wir mit

.... gut zu Hause angekommen. Das war wirklich ein sehr schönes Wochenende,

.... den Kindern hingehen. Schreibt mir doch, wann ihr kommen könnt,

b Vorschläge machen – Ergänzen Sie die Sätze frei.

(1) Es ist schönes Wetter. Wir könnten …

(2) Ich habe keine Lust auf Kultur. Was hältst du davon, wenn wir …

(3) Wir haben doch nächste Woche eine Prüfung. Lass uns doch …

(4) Ich habe keine Lust, mit dem Auto zu fahren. Wie wäre es, wenn …

(5) Nächste Woche kommen Freunde zu Besuch. Lass uns doch …

(6) Unser Lehrer hat nächste Woche Geburtstag. Vielleicht können wir …

WORTBILDUNG: zusammengesetzte Wörter (Komposita III)

Ergänzen Sie jeweils drei Nomen mit Artikel.

1. das **Lieblings**essen: *die Lieblingsmusik,* ....

2. der **Traum**mann: ....

3. der **Sprach**lehrer: ....

4. das **Urlaubs**foto: ....

RICHTIG SCHREIBEN: Unterscheidung von ss und ß

🎧 2.59 **Hören und markieren Sie die Vokale vor der Lücke: _ für lang, . für kurz. Ergänzen Sie dann ss oder ß.**

1. La.**ss**... uns doch zu einem Stra..........enfest gehen.

2. Zum Schlu.......... des Musicals gab es gro..........e Begeisterung.

3. Wu..........test du, dass die Ruhr ein Flu.......... ist?

4. Wei..........t du, wann das Fu..........ballspiel beginnt?

> – Vokal vor ss ist immer kurz. ☺
> – Vokal vor ß ist immer lang.
> – nach ei, au, eu, äu steht nie ss.
> Bei Großbuchstaben schreibt man ß so: SS (STRASSE).

Mein Deutsch nach Kapitel 8

Das kann ich:

mich über Interessen austauschen

Sprechen Sie.

- ● Wofür interessierst du dich?
- ○ Ich interessiere mich für …
- ● Hast du Lust auf …?
- ○ …

von interessanten Ereignissen erzählen

Was? Wann? Mit wem? Wie?

Schreiben Sie einen kurzen Bericht.

Letzte Woche / Letzten Monat …
… war total langweilig/faszinierend …
Mir hat (nicht) gefallen, dass …

gemeinsam etwas planen

Planen Sie etwas für Samstagabend. Sprechen Sie.

- ● Wir könnten …
- ○ Nein, das finde ich nicht so gut. Was hältst du davon, wenn …
- ● Und wann und wo sollen wir uns treffen?
- ○ …

www → B1/K8

Das kenne ich:

(G)

Verben mit Präpositionen

	bei Sachen		
sich freuen **auf**	Worauf freust du dich?	**Auf** den Urlaub.	Darauf freue ich mich auch.
sich ärgern **über**	Worüber …?	**Über** …	Darüber …
denken **an**	Woran …?	**An** …	Daran …
träumen **von**	Wovon …?	**Von** …	Davon …
Angst haben **vor**	Wovor …?	**Vor** …	Davor …

⚠ worauf, worüber …; darauf, darüber …:
wor… und *dar*…, wenn die Präposition mit einem Vokal beginnt.

	bei Personen		
warten **auf**	Auf wen wartest du?	**Auf** den Chef.	Auf ihn warte ich auch.
sich ärgern **über**	Über wen …?	**Über** …	Über ihn/sie …
denken **an**	An wen …?	**An** …	An ihn/sie/ …
träumen **von**	Von wem …?	**Von** …	Von ihm/ihr/ihnen …
Angst haben **vor**	Vor wem …?	**Vor** …	Von ihm/ihr/ihnen …

HALTESTELLE

1 Kennen Sie D-A-CH?

a Ein Schweiz-Quiz. Was ist richtig?
Kreuzen Sie an.

1. In Deutschland gibt es 16 und in Österreich 9 Bundesländer, in der Schweiz gibt es …
   ☐ 26 Kantone.
   ☐ 26 Regionen.
   ☐ 26 Provinzen.

2. Die Fläche der Schweiz ist etwa …
   ☐ halb so groß
   ☐ genauso groß
   ☐ doppelt so groß
   wie die Fläche von Österreich.

3. Welches Land grenzt nicht an die Schweiz?
   ☐ Liechtenstein
   ☐ Frankreich
   ☐ Luxemburg

4. Wie viele Einwohner hat die Schweiz?
   ☐ ungefähr 4,6 Millionen
   ☐ ungefähr 8,3 Millionen
   ☐ ungefähr 12,6 Millionen

5. Die Hauptstadt der Schweiz ist …
   ☐ Genf
   ☐ Bern
   ☐ Zürich

6. Welche Sprache ist keine Amtssprache in der Schweiz?
   ☐ Italienisch
   ☐ Rätoromanisch
   ☐ Rumänisch

b Die Schweiz – Lesen Sie den Text und überprüfen Sie Ihre Antworten aus 1a.

Die Schweiz hat 26 Kantone. Diese sind politisch sehr selbstständig und haben eigene Parlamente. Das Land hat eine Fläche von 41.285 km². Zum Vergleich: Deutschland hat eine Fläche von 357.375 km² und Österreich eine Fläche von 83.878 km². Die Schweiz hat fünf Nachbarländer: Deutschland, Österreich, Liechtenstein, Italien und Frankreich. Das Landeskennzeichen ist „CH" (= Confoederatio Helvetica). Hier leben etwa 8,3 Millionen Menschen. Die größte Stadt ist Zürich, aber Bern ist die Hauptstadt.
Wichtig für die Wirtschaft sind u.a. Banken, Versicherungen oder der Tourismus. Der wohl bekannteste Berg in den Schweizer Alpen ist das Matterhorn (4.478 m).  Berühmte Schweizer Produkte sind das Schweizer Messer, Uhren, Schokolade und Käse. Es gibt insgesamt vier Amtssprachen: Deutsch, Französisch, Italienisch und Rätoromanisch.

🎧 2.60 **c** Hören Sie. Was bedeuten diese Wörter aus dem Schweizerdeutschen? Markieren Sie.

1. Ein „Kondukteur" ist ein *Taxifahrer / Schaffner / Reiseleiter*.
2. Ein „Gipfeli" ist ein *Kaffee / Croissant / Brötchen*.
3. Ein „Töff" ist ein *Auto / Motorrad / Fahrrad*.
4. Das Wort „gehäuselt" bedeutet *viereckig / kariert / gestreift*.
5. Das Verb „luegen" bedeutet *lügen / gucken / liegen*.

d Schreiben Sie Quizfragen wie in 1a zu Österreich, Deutschland, der Schweiz oder Ihrem Heimatland. Tauschen Sie Ihre Fragen mit einer anderen Gruppe und beantworten Sie diese Fragen.

2 Schreiben

Sie machen Urlaub in der Schweiz und schreiben an einen Freund / eine Freundin.
Wählen Sie A oder B. Benutzen Sie alle Ausdrücke unter den Fotos.

8 Tage wandern in den Alpen

Kunst, Kultur und Shopping in Zürich

Wanderurlaub in den Schweizer Alpen

sich freuen auf Bergtour morgen

frische Luft und Natur genießen

stark regnen   nass werden

Berge total faszinierend

gestern leider Pech

morgen Altstadtführung

in Zürich sein

Schweizer Taschenmesser als Mitbringsel

viele interessante Museen

abends Züricher Spezialität essen:
Geschnetzeltes mit Rösti

die Stadt sehr empfehlen

gestern Uhrenmuseum besuchen

> Liebe/r ...,
> ich mache gerade ... Gestern ...

3 Sprechtraining

a Nachfragen

Schreiben Sie einen Satz auf einen Zettel (Beispiel: „Dieses Jahr mache ich in Frankreich Urlaub."). Suchen
Sie eine Partnerin / einen Partner. Lesen Sie Ihren Satz vor und ersetzen Sie ein Wort durch „blabla".
Ihre Partnerin / Ihr Partner fragt nach diesem Wort. Antworten Sie. Tauschen Sie dann die Zettel
und suchen Sie eine andere Partnerin / einen anderen Partner.

> Dieses Jahr mache ich
> **in blabla** Urlaub.

> Wie bitte? **Wo** machst
> du dieses Jahr Urlaub?

> **In Frankreich.**

b Sätze erweitern: Wann? Mit wem? Wohin?

Arbeiten Sie zu dritt. A sagt einen Satz mit *gehen, fahren* oder *fliegen* und
einer Ortsangabe (*nach Wien, ins Kino* usw.). B erweitert den Satz um eine
Zeitangabe (*morgen, nächste Woche* usw.) und C erweitert den Satz um eine
Person (*mit ihrer Tante, mit meinen Eltern* usw.). Dann sagt B einen neuen Satz.

> Achten Sie auf 😊
> die Satzstellung:
> 1. **wann?**
> 2. **mit wem?**
> 3. **wohin?**

> (A) Dana fährt **nach Wien.**

> (B) Dana fährt **morgen
> Vormittag** nach Wien.

> (C) Dana fährt **morgen Vormittag
> mit ihrer Tante** nach Wien.

TESTTRAINING

P DTZ **1 Lesen – Zeitungsartikel und Briefe**

So sieht die Aufgabe in der Prüfung aus:

Lesen Sie die drei Texte. Zu jedem Text gibt es zwei Aufgaben. Entscheiden Sie bei jedem Text, ob die Aussage richtig oder falsch ist und welche Antwort (a, b oder c) am besten passt.

→ Lesen Sie zuerst die Aufgaben und dann die Texte.
→ Es sind immer drei Texte: ein Zeitungsartikel, ein Brief an mehrere Personen und ein persönlicher Brief.
→ Die jeweils erste Aufgabe ist immer zum ganzen Text, die zweite Aufgabe zu einem Detail im Text.

Mehr als ein Kulturzentrum!

Die alte Fabrik in Schwerte war eine große Industrieanlage. Früher hat man hier Rohre repariert, heute gibt es die verschiedensten Angebote:

Man kann im Restaurant Bier aus der eigenen Brauerei und Speisen aus regionalem Anbau genießen. Für private Feiern gibt es die Möglichkeit, Räume zu mieten. Das Jugendtheater „Intro" hat hier genauso seinen Treffpunkt wie die türkische Jugendgruppe „Genc Point". Die alte Fabrik veranstaltet Konzerte und Lesungen, aber auch Gruppenaktivitäten wie das „Ruhrtalsingen", wo jeder mitsingen kann, der will.

Und direkt hinter der alten Fabrik kann man durch den Bürgerpark zur Ruhr spazieren und viele seltene Pflanzen- und Tierarten bewundern.

1 In der alten Fabrik wird heute noch so gearbeitet wie vor 50 Jahren.

    ◯ richtig   ◯ falsch

2 In der alten Fabrik gibt es auch

    a eine Musikschule.
    b einen Mini-Zoo.
    c Essen aus der Umgebung.

An alle, die finanzielle Unterstützung von der Arbeitsagentur bekommen

Sehr geehrte Damen, sehr geehrte Herren,

wir möchten Sie heute einladen, bei unserer Strom-Spar-Aktion mitzumachen!
Viele haben es schon ausprobiert und festgestellt, dass sie so bis zu 80 Euro im Jahr weniger für Strom bezahlen mussten.
Das Einzige, was Sie tun müssen, ist bei der Verbraucherzentrale anzurufen. Diese bietet Ihnen, wenn Sie von uns finanzielle Unterstützung bekommen, einen kostenlosen Termin mit einem Stromsparberater an. Der kommt dann zu Ihnen nach Hause und berät Sie, wie Sie Ihren Stromverbrauch senken können.
Mehr Informationen bekommen Sie auf unserer Homepage oder direkt bei der Verbraucherzentrale.

Ihre Arbeitsagentur

---

3 Strom wird billiger.

    ◯ richtig   ◯ falsch

4 Wenn man bei der Aktion mitmachen möchte, muss man

    a den Stromsparberater anrufen.
    b sich auf einer Internetseite anmelden.
    c sich bei der Verbraucherzentrale melden.

Liebe Frau Soldini,

herzlich willkommen bei „City-Elektro-Car"! Wir freuen uns, dass Sie sich für uns entschieden haben! Ab jetzt genießen Sie alle Vorteile von City-Elektro-Car: Auf unseren Parkstationen stehen jederzeit unsere Autos für Sie bereit. Sie müssen Ihr Auto nur bis spätestens 30 Minuten vor der Abholung auf unserer Webseite reservieren.
Nach Gebrauch bringen Sie das Auto einfach wieder zu einer unserer Stationen zurück.
Um das Aufladen brauchen Sie sich nicht zu kümmern, das erledigen wir für Sie.
Sie erhalten dann monatlich von uns eine Rechnung über Ihre Fahrten.
Wir wünschen Ihnen gute Fahrt!

Tania Seifert
„City-Elektro-Car" Kundenbetreuung

5 Frau Soldini ist eine neue Kundin bei „City-Elektro-Car". ⬭ richtig ⬭ falsch

6 Bezahlen muss sie

a nach jeder Fahrt.
b nach 30 Tagen.
c einmal pro Monat.

2 Schreiben – Meinungsäußerung

So sieht die Aufgabe in der Prüfung aus:

P Goethe/ ÖSD

Aufgabe 1   Arbeitszeit: 25 Minuten

Sie haben im Fernsehen eine Diskussionssendung zum Thema *Öffentlicher Nahverkehr und Umweltschutz* gesehen. Im Online-Gästebuch der Sendung finden Sie folgende Meinung:

> www.das-aktuelle-thema.com
>
> **Gästebuch**
>
> Natürlich gibt es weniger Umweltverschmutzung, wenn die Leute weniger Auto fahren. Aber meiner Meinung nach kann der öffentliche Nahverkehr nicht kostenlos sein, weil das für die Stadt zu teuer ist. Warum baut man nicht einfach mehr Fahrradwege? Das ist auch sehr wichtig!

→ Überlegen Sie zuerst: Welche Meinung haben Sie? Welche Argumente finden Sie wichtig?
→ Notieren Sie zuerst Stichpunkte und schreiben Sie dann den Text.
→ Sie können den Beitrag aus der Aufgabe kommentieren, müssen das aber nicht tun.
→ Schreiben Sie in der Prüfung Ihren Text direkt auf den Antwortbogen.
→ Korrigieren Sie am Ende Ihren Text. Achten Sie auf Verbposition, Endungen und Rechtschreibung.

Schreiben Sie nun Ihre Meinung (circa 80 Wörter).

So können Sie üben:
Schreiben Sie nun Ihre Meinung zu dem Thema. Die Ausdrücke unten helfen.

Vor- und Nachteile nennen	**die eigene Meinung ausdrücken**
Ein Vorteil/Nachteil von … ist, dass …	Meiner Meinung nach …
Positiv/Negativ an … ist, dass …	Ich finde/denke/meine/glaube, dass …
Dafür/Dagegen spricht …	Ich finde es gut/schlecht, wenn …
	Ich frage mich, ob …

Grammatik

Inhaltsverzeichnis

Verben

1 Futur mit *werden*

			werden: Position 2		Infinitiv: Ende	
ich	werde	Ich	werde	Urlaub	machen	.
du	wirst	Wann	wirst	du die Prüfung	machen	?
er/es/sie	wird	Anton	wird	mir	helfen	.
wir	werden	Wir	werden	bald gut Deutsch	sprechen	.
ihr	werdet	Wann	werdet	ihr uns	besuchen	?
sie/Sie	werden	Sie	werden	deutsche Filme	ansehen	.

2 Konjunktiv II von *müssen*

ich	müsste	Ich	müsste	mehr	lernen	.
du	müsstest	Du	müsstest	öfter Pause	machen	.
er/es/sie	müsste	Paula	müsste	sich bei ihrem Chef	entschuldigen	.
wir	müssten	Wir	müssten	mit ihm	sprechen	.
ihr	müsstet	Ihr	müsstet	früher	aufstehen	.
sie/Sie	müssten	Sie	müssten	pünktlicher	kommen	.

3 Präteritum: regelmäßige und unregelmäßige Verben

	regelmäßig		unregelmäßig	
	sagen	**kochen**	**gehen**	**kommen**
ich	sagte	kochte	ging	kam
du*	sagtest	kochtest	gingst	kamst
er/es/sie	sagte	kochte	ging	kam
wir	sagten	kochten	gingen	kamen
ihr*	sagtet	kochtet	gingt	kamt
sie/Sie	sagten	kochten	gingen	kamen

* Die 2. Person Singular und Plural braucht man im Präteritum nicht so oft.

4 Passiv

a Formen

	werden: Position 2		Partizip: Ende
Jeden Freitag	wird	die Ware	geerntet .
Die Ware	wird	ab sechs Uhr	geliefert .
Die Stände	werden	ab fünf Uhr	aufgebaut .
Ab sechs Uhr	werden	die Kunden	bedient .

b Funktion

Was passiert? **Was** wird gemacht? → Passiv

Der Stand ⟨ wird ⟩ um fünf Uhr ⟨ aufgebaut ⟩.

Die Erdbeeren ⟨ werden ⟩ jeden Freitag ⟨ geerntet ⟩.

Wer macht was? → Aktiv

Der Bauer ⟨ baut ⟩ den Stand morgens um fünf Uhr ⟨ auf ⟩.

Die Saisonarbeiter ⟨ ernten ⟩ jeden Freitag die Erdbeeren.

5 Verben mit Präpositionen

a bei Sachen

Fragewörter mit _wo..._ und Pronominaladverbien mit _da..._

sich freuen **auf**	Worauf freust du dich?	**Auf** den Urlaub.	Darauf freue ich mich auch.
sich ärgern **über**	Worüber ...?	**Über** ...	Darüber ...
denken **an**	Woran ...?	**An** ...	Daran ...
träumen **von**	Wovon ...?	**Von** ...	Davon ...
Angst haben **vor**	Wovor ...?	**Vor** ...	Davor ...

⚠️ worauf, worüber ...; darauf, darüber ...:
wor... und _dar..._, wenn die Präposition mit einem Vokal beginnt.

b bei Personen

warten **auf**	Auf wen wartest du?	**Auf** den Chef.	Auf ihn warte ich auch.
sich ärgern **über**	Über wen ...?	**Über** ...	Über ihn/sie ...
denken **an**	An wen ...?	**An** ...	An ihn/sie ...
träumen **von**	Von wem ...?	**Von** ...	Von ihm/ihr/ihnen ...
Angst haben **vor**	Vor wem ...?	**Vor** ...	Vor ihm/ihr/ihnen ...

Nomen und Artikel

1 Genitiv

		Genitiv
der Notruf	die Nummer	des/eines/Ihres Notruf**s**
das Konto	bei Eröffnung	des/eines/Ihres Konto**s**
die EC-Karte	bei Verlust	der/einer/Ihrer EC-Karte
die Auszüge	zum Ausdruck	der/–*/Ihrer Auszüge

*Kein Genitiv Plural 😊 bei unbestimmtem Artikel, sondern Dativ mit *von*: **von Kontoauszügen**

Pronomen

1 Reflexivpronomen im Akkusativ und Dativ

Ich	Verb	Dativ	Akkusativ	
Ich	wasche		mich.	
Ich	interessiere		mich	nicht für Märkte.
Ich	unterhalte		mich	gerne mit Verkäufern.
Ich	wasche	mir	die Haare.	
Ich	sehe	mir	die Produkte	an.
Ich	überlege	mir	das	noch.

	Akk.	Dativ
ich	mich	mir
du	dich	dir
er/es/sie	sich	sich
wir	uns	uns
ihr	euch	euch
Sie/sie	sich	sich

Wenn es schon ein Akkusativobjekt gibt, steht das Reflexivpronomen im Dativ.

2 Relativpronomen im Akkusativ

Wir entschuldigen uns für den Fehler. Wir haben den Fehler gemacht.

den Wir entschuldigen uns für den Fehler, <u>den</u> wir ⟨ gemacht ⟩ ⟨ haben ⟩.

Das blaue Papier schicken wir heute. Sie haben das blaue Papier bestellt.

das Das blaue Papier, <u>das</u> Sie ⟨ bestellt ⟩ ⟨ haben ⟩, schicken wir heute.

Die Ware wird bald hier sein. Der Kunde hat die Ware zurückgeschickt.

die Die Ware, <u>die</u> der Kunde ⟨ zurückgeschickt ⟩ ⟨ hat ⟩, wird bald hier sein.

Die Brötchen waren lecker. Die Chefin hat **die Brötchen** mitgebracht.

die **Die Brötchen**, <u>die</u> die Chefin ⟨ mitgebracht ⟩ ⟨ hat ⟩, waren lecker.

Infinitiv mit *zu*

Verben	Adjektive + *sein/finden*	Nomen + Verb
(nicht) vergessen, versuchen, versprechen, bitten, anfangen, beginnen, …	Es ist (nicht) möglich, notwendig, … Es ist (nicht) einfach, … Ich finde es wichtig, gut …	(keine) Zeit haben, … Es macht Spaß, … Es ist Vorschrift, …

Hauptsatz	Infinitiv mit *zu*
Vergessen Sie nicht,	vor einer Feier die anderen Bewohner **zu** **informieren**.
Es ist verboten,	im Treppenhaus Fahrräder **ab**zu**stellen**.
Es ist Vorschrift,	nach 20:00 Uhr die Haustür **ab**zu**schließen**.

Nach bestimmten Verben, Nomen und Adjektiven steht der Infinitiv mit *zu*.

Hauptsätze verbinden

1 *deshalb/deswegen*: so wie erwartet

Hauptsatz 1	Hauptsatz 2 Konnektor	Verb: Position 2	
Fleisch war damals sehr teuer,	deshalb	aß	man weniger Fleisch als heute.
Fertiggerichte sind sehr praktisch,	deswegen	kaufen	viele sie.

2 *trotzdem*: anders als erwartet

Hauptsatz 1	Hauptsatz 2 Konnektor	Verb: Position 2	
Viele fette Speisen sind nicht gesund,	trotzdem	sind	sie bei vielen Leuten beliebt.
Thomas konnte nicht gut kochen,	trotzdem	kochte	er sehr gern.

Hauptsätze und Nebensätze verbinden

1 *obwohl*: anders als erwartet

Hauptsatz	Nebensatz Konnektor	Verb: Ende
Die Kinder gehen hier in die Schule,	obwohl ihr Deutsch noch nicht so gut	ist.

Nebensatz Konnektor	Verb	Hauptsatz Verb	
Obwohl wir noch nicht lange hier	wohnen,	fühlen	wir uns schon sehr wohl.

2 *damit* oder *um ... zu*: Zweck ausdrücken

Wozu braucht Anton den Kulturbeutel?

Hauptsatz	Nebensatz Konnektor		Verb: Ende	
Anton braucht den Kulturbeutel,	damit	**er (= Anton)**	sich waschen	kann.
Anton braucht den Kulturbeutel,	um		sich waschen zu	können.
Frau Kulagina bringt Kopfhörer,	damit	**Anton** Musik	hören	kann.

> **gleiches Subjekt:** 😊
> *damit* oder *um ... zu*
>
> **verschiedene Subjekte:**
> nur *damit*

3 *seit/seitdem*: **Zeitpunkt in der Vergangenheit**

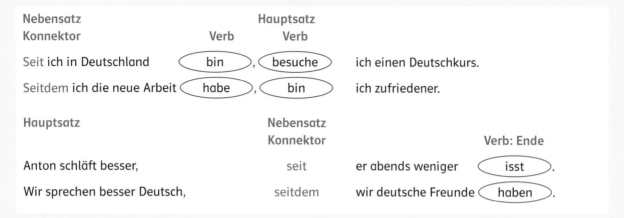

Nebensatz		Hauptsatz	
Konnektor	Verb	Verb	
Seit ich in Deutschland	bin,	besuche	ich einen Deutschkurs.
Seitdem ich die neue Arbeit	habe,	bin	ich zufriedener.

Hauptsatz	Nebensatz		
	Konnektor		Verb: Ende
Anton schläft besser,	seit	er abends weniger	isst.
Wir sprechen besser Deutsch,	seitdem	wir deutsche Freunde	haben.

4 *bis*: **Zeitpunkt in der Zukunft**

Nebensatz		Hauptsatz	
Konnektor	Verb	Verb	
Bis der Bus	kommt,	dauert	es noch eine halbe Stunde.

Hauptsatz		Nebensatz		
Verb		Konnektor		Verb: Ende
Ich	lerne so lange Deutsch,	bis	ich die Prüfung	machen kann.

Konnektoren

1 *nicht nur ..., sondern auch*: **zwei Sachen treffen zu**

Krankenpfleger arbeiten im Schichtdienst. Sie arbeiten **auch** am Wochenende.
Krankenpfleger arbeiten nicht nur im Schichtdienst, sondern auch am Wochenende.

Altenpfleger müssen oft geduldig sein. Sie müssen **auch** körperlich fit sein.
Altenpfleger müssen nicht nur geduldig, sondern auch körperlich fit sein.

2 *sowohl ... als auch*: **zwei Sachen treffen zu**

Herr Gröbner ist am Montag **und** Freitag da.
Herr Gröbner ist sowohl am Montag als auch am Freitag da.

Frau Weber mag Katzen **und** Hunde.
Frau Weber mag sowohl Katzen als auch Hunde.

3 *sondern*: **nach Negation**

Sie hat kein blaues Papier bekommen, sondern weißes.
Sie bekommt das Papier nicht heute, sondern Büroprofi liefert morgen.

Unregelmäßige Verben

DSüd = Süddeutschland; A = Österreich; CH = Schweiz

Infinitiv	Präsens	Präteritum	Perfekt
abfahren	er fährt ab	fuhr ab	ist abgefahren
abgeben	er gibt ab	gab ab	hat abgegeben
abheben	er hebt ab	hob ab	hat abgehoben
abnehmen	er nimmt ab	nahm ab	hat abgenommen
abschließen	er schließt ab	schloss ab	hat abgeschlossen
anbieten	er bietet an	bot an	hat angeboten
anerkennen	er erkennt an	erkannte an	hat anerkannt
anfangen	er fängt an	fing an	hat angefangen
angeben	er gibt an	gab an	hat angegeben
ankommen	er kommt an	kam an	ist angekommen
annehmen	er nimmt an	nahm an	hat angenommen
anrufen	er ruft an	rief an	hat angerufen
ansehen	er sieht an	sah an	hat angesehen
ansprechen	er spricht an	sprach an	hat angesprochen
anwenden	er wendet an	wendete/wandte an	hat angewendet/angewandt
anziehen	er zieht an	zog an	hat angezogen
auffallen	er fällt auf	fiel auf	ist aufgefallen
aufheben	er hebt auf	hob auf	hat aufgehoben
aufnehmen	er nimmt auf	nahm auf	hat aufgenommen
aufstehen	er steht auf	stand auf	ist aufgestanden
ausgeben	er gibt aus	gab aus	hat ausgegeben
ausgehen	er geht aus	ging aus	ist ausgegangen
ausleihen	er leiht aus	lieh aus	hat ausgeliehen
aussehen	er sieht aus	sah aus	hat ausgesehen
aussteigen	er steigt aus	stieg aus	ist ausgestiegen
ausziehen	er zieht aus	zog aus	hat ausgezogen *(Kleidung)*
ausziehen	er zieht aus	zog aus	ist ausgezogen *(aus der Wohnung)*
beginnen	er beginnt	begann	hat begonnen
bekommen	er bekommt	bekam	hat bekommen
beraten	er berät	beriet	hat beraten
beschließen	er beschließt	beschloss	hat beschlossen
besprechen	er bespricht	besprach	hat besprochen
betreffen	es betrifft	betraf	hat betroffen
bieten	er bietet	bot	hat geboten
bitten	er bittet	bat	hat gebeten
bleiben	er bleibt	blieb	ist geblieben
braten	er brät	briet	hat gebraten
bringen	er bringt	brachte	hat gebracht
denken	er denkt	dachte	hat gedacht
einladen	er lädt ein	lud ein	hat eingeladen
einsteigen	er steigt ein	stieg ein	ist eingestiegen
empfehlen	er empfiehlt	empfahl	hat empfohlen
enthalten	es enthält	enthielt	hat enthalten
entscheiden	er entscheidet	entschied	hat entschieden
erfahren	er erfährt	erfuhr	hat erfahren
erfinden	er erfindet	erfand	hat erfunden
erhalten	er erhält	erhielt	hat erhalten
essen	er isst	aß	hat gegessen
fahren	er fährt	fuhr	ist gefahren
fernsehen	er sieht fern	sah fern	hat ferngesehen

Infinitiv	Präsens	Präteritum	Perfekt
finden	er findet	fand	hat gefunden
fliegen	er fliegt	flog	ist geflogen
fließen	er fließt	floss	ist geflossen
fressen	er frisst	fraß	hat gefressen
geben	er gibt	gab	hat gegeben
gefallen	es gefällt	gefiel	hat gefallen
gehen	er geht	ging	ist gegangen
gelten	es gilt	galt	hat gegolten
genießen	er genießt	genoss	hat genossen
gewinnen	er gewinnt	gewann	hat gewonnen
gießen	er gießt	goss	hat gegossen
haben	er hat	hatte	hat gehabt
halten	er hält	hielt	hat gehalten
hängen	er hängt	hing	hat gehangen
			(DSüd, A, CH: ist gehangen)
heben	er hebt	hob	hat gehoben
heißen	er heißt	hieß	hat geheißen
helfen	er hilft	half	hat geholfen
herunterladen	er lädt herunter	lud herunter	hat heruntergeladen
hinfahren	er fährt hin	fuhr hin	ist hingefahren
hinkommen	er kommt hin	kam hin	ist hingekommen
hinweisen	er weist hin	wies hin	hat hingewiesen
kennen	er kennt	kannte	hat gekannt
klingen	es klingt	klang	hat geklungen
kommen	er kommt	kam	ist gekommen
lassen	er lässt	ließ	hat gelassen/lassen
laufen	er läuft	lief	ist gelaufen
leihen	er leiht	lieh	hat geliehen
lesen	er liest	las	hat gelesen
liegen	er liegt	lag	hat gelegen
			(DSüd, A, CH: ist gelegen)
lügen	er lügt	log	hat gelogen
mitbringen	er bringt mit	brachte mit	hat mitgebracht
mitkommen	er kommt mit	kam mit	ist mitgekommen
mitnehmen	er nimmt mit	nahm mit	hat mitgenommen
mögen	er mag	mochte	hat gemocht
müssen	er muss	musste	hat gemusst/müssen
nachschlagen	er schlägt nach	schlug nach	hat nachgeschlagen
nehmen	er nimmt	nahm	hat genommen
nennen	er nennt	nannte	hat genannt
raten	er rät	riet	hat geraten
reiten	er reitet	ritt	ist geritten
riechen	er riecht	roch	hat gerochen
rufen	er ruft	rief	hat gerufen
scheinen	er scheint	schien	hat geschienen
schlafen	er schläft	schlief	hat geschlafen
schließen	er schließt	schloss	hat geschlossen
schneiden	er schneidet	schnitt	hat geschnitten
schreiben	er schreibt	schrieb	hat geschrieben
schreien	er schreit	schrie	hat geschrien
schwimmen	er schwimmt	schwamm	ist geschwommen
sehen	er sieht	sah	hat gesehen
sein	er ist	war	ist gewesen
senden	er sendet	sendete/sandte	hat gesendet/gesandt

Infinitiv	Präsens	Präteritum	Perfekt
singen	er singt	sang	hat gesungen
sitzen	er sitzt	saß	hat gesessen
			(*DSüd, A, CH:* ist gesessen)
spazieren gehen	er geht spazieren	ging spazieren	ist spazieren gegangen
sprechen	er spricht	sprach	hat gesprochen
springen	er springt	sprang	ist gesprungen
stattfinden	es findet statt	fand statt	hat stattgefunden
stehen	er steht	stand	hat gestanden
			(*DSüd, A, CH:* ist gestanden)
stehlen	er stiehlt	stahl	hat gestohlen
sterben	er stirbt	starb	ist gestorben
streiten	er streitet	stritt	hat gestritten
teilnehmen	er nimmt teil	nahm teil	hat teilgenommen
tragen	er trägt	trug	hat getragen
treffen	er trifft	traf	hat getroffen
trinken	er trinkt	trank	hat getrunken
tun	er tut	tat	hat getan
übernehmen	er übernimmt	übernahm	hat übernommen
überweisen	er überweist	überwies	hat überwiesen
umsteigen	er steigt um	stieg um	ist umgestiegen
umziehen	er zieht um	zog um	ist umgezogen
unterhalten	er unterhält	unterhielt	hat unterhalten
unternehmen	er unternimmt	unternahm	hat unternommen
unterschreiben	er unterschreibt	unterschrieb	hat unterschrieben
unterstreichen	er unterstreicht	unterstrich	hat unterstrichen
verbieten	er verbietet	verbot	hat verboten
verbinden	er verbindet	verband	hat verbunden
verbrennen	er verbrennt	verbrannte	hat verbrannt
verbringen	er verbringt	verbrachte	hat verbracht
vergessen	er vergisst	vergaß	hat vergessen
vergleichen	er vergleicht	verglich	hat verglichen
verlieren	er verliert	verlor	hat verloren
vermeiden	er vermeidet	vermied	hat vermieden
verschieben	er verschiebt	verschob	hat verschoben
versprechen	er verspricht	versprach	hat versprochen
verstehen	er versteht	verstand	hat verstanden
vertreten	er vertritt	vertrat	hat vertreten
verzeihen	er verzeiht	verzieh	hat verziehen
vorhaben	er hat vor	hatte vor	hat vorgehabt
vorkommen	es kommt vor	kam vor	ist vorgekommen
vorlesen	er liest vor	las vor	hat vorgelesen
vorschlagen	er schlägt vor	schlug vor	hat vorgeschlagen
waschen	er wäscht	wusch	hat gewaschen
werden	er wird	wurde	ist geworden
werfen	er wirft	warf	hat geworfen
widersprechen	er widerspricht	widersprach	hat widersprochen
wiedersehen	er sieht wieder	sah wieder	hat wiedergesehen
wissen	er weiß	wusste	hat gewusst
ziehen	er zieht	zog	hat gezogen

Verben mit Präpositionen

Mit Akkusativ

achten	auf	Achten Sie auf eine gute Aussprache.
sich ärgern	über	Er ärgert sich über die schlechte Note.
denken	an	Ich habe gestern an dich gedacht.
durchsetzen	gegen	So setzen Sie sich gegen Ihre Kollegen durch.
eingehen	auf	Der Arzt geht auf die Fragen ein.
einziehen	in	Eine junge Familie zieht in die Wohnung ein.
sich engagieren	für	Die Schüler engagieren sich für den Umweltschutz.
sich entscheiden	für	Warum haben Sie sich für diesen Beruf entschieden?
sich freuen	auf	Dana freut sich auf die Reise.
hinweisen	auf	Die Krankenschwester weist auf das Rauchverbot hin.
informieren	über	Der Arzt informiert über die Operation.
sich interessieren	für	Interessierst du dich für diesen Film?
sich kümmern	um	Die Oma kümmert sich nachmittags um ihren Enkel.
reichen	für	Das Geld reicht für einen Ausflug.
sich vorbereiten	auf	Ich bereite mich auf den Test vor.
verzichten	auf	Im Projekt verzichten die Schüler auf ihr Handy.
warten	auf	Wie lange warten Sie schon auf den Bus?
sich Zeit nehmen	für	Die Familie nimmt sich viel Zeit für das Abendessen.
zutreffen	auf	Das trifft auf ihn nicht zu.

Mit Dativ

(sich) anmelden	bei	Rafael hat sich bei einem Verein angemeldet.
beginnen	mit	Morgen beginne ich mit dem Kurs.
erfahren	von	Von wem hast du das erfahren?
sich entschuldigen	bei	Entschuldige dich bitte bei ihr.
sich erkundigen	nach	Er hat sich nach dem Preis erkundigt.
erzählen	von	Sie hat mir viel von ihrem Urlaub erzählt.
gehören	zu	Schöne Musik gehört für mich zu einem Fest.
schuld sein	an	Niemand ist schuld an dem Streit.
schützen	vor	Wenig Autofahren schützt vor Umweltverschmutzung.
sprechen	mit	Eleni hat gestern mit ihrem Chef gesprochen.
streiten	mit	Früher habe ich oft mit meinem Bruder gestritten.
teilnehmen	an	Wie viele Leute nehmen an dem Kurs teil?
träumen	von	Ich träume von einem Urlaub in Australien.
trennen	von	Man soll Glas vom Restmüll trennen.
sich überzeugen	von	Ich habe mich von der Qualität überzeugt.
unterstützen	bei	Wir unterstützen Sie bei Problemen mit Ihren Nachbarn.
sich unterhalten	mit	Eleni unterhält sich gern mit ihrer Freundin Dana.
sich verabschieden	von	Man kann sich von manchen Dingen nicht leicht verabschieden.

Alphabetische Wortliste

In der Liste finden Sie die Wörter aus den Kapiteln 1–8 von Linie 1 B1.
Hier finden Sie das Wort:
z. B. anwesend 1/6a, 6

anwesend	1/	6a,	6
Wort	Kapitel	Nummer der Aufgabe	Seite

Wortakzent: kurzer Vokal . oder langer Vokal _.
Dach
atmen

Bei unregelmäßigen Verben: 3. Person Singular Präsens, Präteritum und Perfekt:
fallen, fällt, fiel, ist gefallen 4/3a, 49

Bei Nomen: das Wort, der Artikel und die Pluralform:
Badewanne, die, -n
Singular: die Badewanne
Plural: die Badewannen

Fett gedruckte Wörter gehören zum Wortschatz für die Goethe/telc/ÖSD-Prüfungen B1. Diese Wörter müssen Sie auf jeden Fall lernen.

Abkürzungen und Symbole

¨	Umlaut im Plural bei Nomen
(Sg.)	nur Singular (bei Nomen)
(Pl.)	nur Plural (bei Nomen)
+ A.	mit Akkusativ
+ D.	mit Dativ

Kapitelwortschatz unter www.klett-sprachen.de/linie1/kapitelwortschatzB1

Einbrecher, der, – 3/2d, 34
Einbruch, der, ¨e 3/2c, 34
Eindruck, der, ¨e 4/1a, 47
einerseits 1/7b, 7
eingehen (auf + A.), geht ein, ging ein, ist eingegangen 6/5d, 83
Einheimische, der, – 8/6b, 116
Einkaufsgewohnheit, die, -en 2/1c, 15
Einkaufsmöglichkeit, die, -en 2/1c, 15
Einkaufstipp, der, -s 2/7a, 21
Einnahme, die, -n (Das Unternehmen hat Einnahmen in Höhe von 10 Millionen Euro gemacht.) 7/5a, 101
Einnahme, die, -n (Der Krankenpfleger kontrolliert die Einnahme der Medikamente.) 6/3b, 81
Einrichtung, die, -en 1/3f, 3
einzahlen 3/4c, 36
einziehen (in + A.), zieht ein, zog ein, ist eingezogen 1/2a, 2
einzig 7/7b, 103
elektrisch 7/5b, 101
Emotion, die, -en 1/3e, 3
Empfang, der (Sg.) 2/1a, 15
Empfehlung, die, -en 3/Und Sie?, 38
Energie, die, -n 3/7a, 39
Energiesparen, das (Sg.) 7/1b, 97
Energieverschwendung, die (Sg.) 8/2b, 112
engagieren 7/6c, 102
Enkel, der, – 8/5a, 115
Entbindungsstation, die, -en 6/7, 85
Entfernung, die, -en 2/3a, 17
enthalten, enthält, enthielt, hat enthalten 7/5a, 101
entkräften 7/1d, 97
entschlossen 5/3d, 67
entsorgen 1/4b, 4
entstehen, entsteht, entstand, ist entstanden 3/2c, 34
enttäuschend 8/4a, 114
enttäuscht 1/3c, 3
Enttäuschung, die, -en 8/1b, 111
Entzündung, die, -en 6/7b, 85
Erdbeere, die, -n 2/7a, 21
Erde, die, -n 7/7b, 103
erfahren (von + D.), erfährt, erfuhr, hat erfahren (Von wem hast Du das erfahren?) 5/6b, 70
Erfolgserlebnis, das, -se 5/4a, 68
ernähren 4/5a, 51
Ernährung, die (Sg.) 3/7a, 39
Ernährungsberater, der, – 4/1c, 47
ernst 1/2a, 2
ernsthaft 5/6b, 70
Ernte, die, -n 7/4b, 100
ernten 2/7a, 21
Erntezeit, die, -en 7/4c, 100
Eröffnung, die, -en 3/5c, 37
erreichbar 3/5b, 37
erschrocken 5/6a, 70
erstatten 3/2c, 34
erstaunlich 3/6b, 38
erstens 1/7b, 7
erwarten 3/6c, 38
Erzeugung, die, -en 2/3a, 17
Essgewohnheit, die, -en 4/1c, 47
Essverhalten, das, – 4/6b, 52
Experte, der, -n 7/7b, 103
Fahrer, der, – 2/4c, 18
Fahrradunfall, der, ¨e 6/Vorhang auf, 85
Faktor, der, -en 3/2c, 34
fallen, fällt, fiel, ist gefallen 4/3a, 49

familienfreundlich 6/6a, 84
faszinierend 8/4a, 114
faul 1/2a, 2
Feedback, das, -s 4/7e, 53
Feld, das, -er 2/7a, 21
fern 2/7a, 21
Fernsehprogramm, das, -e 8/3c, 113
Fertiggericht, das, -e 4/2b, 48
Festessen, das, – 4/4d, 50
Fett, das, -e 4/6c, 52
Feuer, das, – 7/7a, 103
Feuerzeug, das, -e 8/6b, 116
Filiale, die, -n 3/5c, 37
Finanzen, die (Pl.) 3/4d, 36
Fischprodukt, das, -e 2/3a, 17
Fischzucht, die, -en 2/3a, 17
Fitnesscenter, das, – 6/6a, 84
Fläche, die, -n 3/2c, 34
FÖJ (Freiwilliges Ökologisches Jahr), das (Sg.) (ein FÖJ machen) 7/7a, 103
FÖJler, der, – 7/7a, 103
Forelle, die, -n 2/3a, 17
Forschung, die, -en 7/7b, 103
Forststraße, die, -n 6/3b, 81
fortsetzen 1/5b, 5
Forumstext, der, -e 3/7a, 39
Fotoalbum, das, -alben 4/1, 47
freihalten, hält frei, hielt frei, hat frei gehalten 1/5c, 5
Freiwilliges Ökologisches Jahr (FÖJ), das (Sg.) 7/7a, 103
Freiwillige, der/die, -n 7/7b, 103
Freude, die, -n 2/7b, 21
Frucht, die, ¨e 7/4c, 100
fruchtig 2/7a, 21
frühere 8, 111
Frühschicht, die, -en 8/6b, 116
Frühstückspause, die, -n 2/1a, 15
Funktion, die, -en 7/3d, 99
fürchten 6/5c, 83
Fußballfan, der, -s 1/7b, 7
Fußballtraining, das, -s 4/3b, 49
füttern 1/3b, 3
Futur, das (Sg.) 5/3e, 67
garantieren 2/3a, 17
Gartenarbeit, die, -en 1/6a, 6
Gärtner, der, – 7/6a, 102
Gaststätte, die, -n 1/7b, 7
Geburtsdatum, das, -daten 6/3b, 81
geehrt 2/5a, 19
Gegend, die, -en 7/4c, 100
Gegenteil, das, -e 5/Und Sie?, 69
Gegenvorschlag, der, ¨e 8/7b, 117
Geldautomat, der, -en 3/4c, 36
Gelegenheit, die, -en 5/3d, 67
Gemeinschaft, die, -en 7/6a, 102
Gemüsebauer, der, -n 2/3a, 17
genervt 5/6a, 70
Genuss, der, ¨e 2/7a, 21
gerade (Ich kann mir die Wohnung gerade noch leisten.) 1/7b, 7
Gerichtsprozess, der, -e 3/2c, 34
gering 2/3a, 17
gernhaben, hat gern, hatte gern, hat gerngehabt 1/6c, 6
gesamt 2/3a, 17
geschehen, geschieht, geschah, ist geschehen 6/1a, 79
Geschmack, der, ¨er 2/7a, 21
Gesundheits- und Krankenpfleger, der, – 6/6a, 84
Gesundheitsberuf, der, -e 6/1d, 79

Getränkedose, die, -n 7/6a, 102
Getreide, das (Sg.) 7/4c, 100
Gewicht, das, -e 2/7a, 21
Gewohnheit, die, -en 4/3a, 49
Gewürz, das, -e 4/7b, 53
Gift, das, -e 7/7a, 103
Gips, der, -e 6/4b, 82
Girokonto, das, -konten 3/4d, 36
Glasflasche, die, -n 7, 97
Glatteis, das (Sg.) 6/2a, 80
gleichzeitig 5/5e, 69
global 7/5b, 101
Gras, das, ¨er 7/4b, 100
Grillmeister, der, – 8/5a, 115
Grillstelle, die, -n 1/4b, 4
Großstadt, die, ¨e 7/6a, 102
gründen 5/6b, 70
Grundnahrungsmittel, das, – 4/2b, 48
grundsätzlich 7/5a, 101
grüßen 1/5c, 5
gucken 1/3c, 3
hacken 7/7a, 103
Haftpflichtversicherung, die, -en 3/2a, 34
Hälfte, die, -n 4/5b, 51
Händler, der, – 2/2b, 16
Hauptteil, der, -e 4/7c, 53
Hausarzt, der, ¨e 6/3c, 81
Hausbewohner, der, – 1/2b, 2
Hausmeisterservice, der, -s 1/6a, 6
Hausordnung, die, -en 1/4, 4
Hausratversicherung, die, -en 3/2b, 34
Hausregel, die, -n 1/1c, 1
heben, hebt, hob, hat gehoben 6/7b, 85
heimisch 4/2b, 48
heizen 7/1d, 97
Hektik, die (Sg.) 2/5a, 19
Herausforderung, die, -en 5/4a, 68
hereinlassen, lässt herein, ließ herein, hat hereingelassen 1/3f, 3
herunterfallen, fällt herunter, fiel herunter, ist heruntergefallen 5/6d, 70
herunterladen, lädt herunter, lud herunter, hat heruntergeladen 5/3d, 67
herunternehmen, nimmt herunter, nahm herunter, hat heruntergenommen 6/3a, 81
Herzbeschwerden, die (Pl.) 6/7b, 85
hilfsbedürftig 6/6a, 84
hinweisen (auf + A.), weist hin, wies hin, hat hingewiesen 1/Vorhang auf, 7
hipp 1/7b, 7
HNO (Hals-Nasen-Ohrenarzt), 6/7a, 85
hochdeutsch 8/6b, 116
höchstens 5/7b, 71
Hof, der, ¨e (Der Hof gehört schon immer meiner Familie.) 7/4b, 100
Hotelübernachtung, die, -en 8, 111
Huhn, das, ¨er 7/4a, 100
IBAN-Nummer, die, -n 3/5b, 37
igitt 4/3c, 49
im Freien 1/5a, 5
Impfpass, der, ¨e 6/Und Sie?, 81
Impfung, die, -en 6/Und Sie?, 81
in Ordnung 1/6e, 6
in Zukunft 5/3d, 67
individuell 3/2c, 34
Industriegebäude, das, – 8, 111
Industriegebiet, das, -e 8/2b, 112
Industriekultur, die, -en 8, 111
Infokasten, der, ¨ 4/2b, 48
informieren 6/4d, 82
Infotext, der, -e 3/1d, 33

Rechtsstreit, der, -e 3/2c, 34
recyceln 7/5a, 101
Region, die, -en 8/1a, 111
regional 8/6b, 116
reichen 7, 97
reif 2/7a, 21
reinigen 1/6a, 6
Reinigung, die (Sg.) 1/4b, 4
Reisegutschein, der, -e 8, 111
Reisekrankenversicherung, die, -en 3/3e, 35
Reklamation, die, -en 2/4d, 18
reklamieren 2/4, 18
Religion, die, -en 5/7a, 71
Rente, die, -n 1/2a, 2
Respekt, der (Sg.) 5/Und Sie?, 69
Rest, der, -e 2/7a, 21
Restmülleimer, der, – 7/5a, 101
retten 5/7b, 71
Rettungswagen, der, - 6/2c, 80
Rezept, das, -e *(Ich habe hier ein gutes Rezept für Apfelkuchen.)* 2/7a, 21
Rind, das, -er 7/4b, 100
Rollschuh, der, -e 8/4a, 114
Rollstuhl, der, ¨e 6/6a, 84
röntgen 6/7b, 85
Röntgenbild, das, -er 6/1c, 79
rot-weiß 8/6b, 116
Rückenschmerz, der, -en 6/6a, 84
Rücksicht, die (Sg.) *(Rücksicht nehmen auf jemanden)* 1/4b, 4
Ruhezeit, die, -en 1/4b, 4
Ruhr, die (Sg.) 8, 111
Ruhrgebiet, das (Sg.) 8/1a, 111
Ruhrpott-Deutsch, das (Sg.) 8/6b, 116
Ruhrtalradweg, der, -e 8/2b, 112
rund um *(Wir übernehmen alle Arbeiten rund um das Haus.)* 1/1b, 1
Saison, die, -s/-en 2/3a, 17
Saisonarbeiter, der, – 7/4b, 100
Samstagsmarkt, der, ¨e 2/3a, 17
sämtlich 3/2c, 34
Sandwich, das, -s 4/2b, 48
Satzzeichen, das, – 5/5e, 69
sauber halten, hält sauber, hielt sauber, hat sauber gehalten 1/4b, 4
sauber machen 1/6a, 6
Sauberkeit, die (Sg.) 1/4b, 4
sauer (1) *(Dieser Apfel ist sehr sauer.)* 2/7a, 21
sauer (2) *(Mein Chef ist sauer auf mich.)* 5/6a, 70
saugen 1/1a, 1
scannen 3/2a, 34
Schaden, der, ¨ 3/1c, 33
Schadensfall, der, ¨e 3/3b, 35
schädlich 7/3d, 99
Schaf, das, -e 2/3a, 17
Schauspieler, der, – 8/4a, 114
Schichtdienst, der, -e 6/6a, 84
Schlafmittel, das, – 6/4d, 82
schließlich 5/7b, 71
Schmerzmittel, das, – 6/3a, 81
Schmutz, der (Sg.) 1/5c, 5
Schokoriegel, der, – 4/6a, 52
schonen 2/7a, 21
schriftlich 5/2d, 66
Schulbuchtext, der, -e 4/1c, 47
schuld sein, ist schuld, war schuld, ist schuld gewesen 4, 47
Schulfach, das, ¨er 7/Und Sie?, 99
Schulheft, das, -e 8/6b, 116

Schulter, die, -n 6/3a, 81
Schutz, der (Sg.) 3/2c, 34
schützen 7/5b, 101
schwach 6/5c, 83
Schweinefleisch, das (Sg.) 2/3a, 17
schwerhörig 8/5a, 115
sehenswert 8/2b, 112
Seife, die, -n 8/6b, 116
seit wann 6/7b, 85
seitdem 5/4a, 68
selber 4, 47
Selbstbeteiligung, die, -en 3/3b, 35
seltsam 5/7b, 71
Seminar, das, -e 7/7a, 103
senden 3/2a, 34
Seniorenheim, das, -e 6/6b, 84
senken *(Senken Sie das Gewicht langsam.)* 6/7b, 85
Sicherheit, die (Sg.) 1/4b, 4
siehe 4/2b, 48
sinken, sinkt, sank, ist gesunken 1/7b, 7
sinnlos 7/6c, 102
Skifahren, das (Sg.) 8/2b, 112
Skihalle, die, -n 8/2b, 112
Skyline, die, -s 1/7b, 7
Skype-Chat, der, -s 8/1b, 111
Snack, der, -s 4/6b, 52
so viel 2/4a, 18
Sonderangebot, das, -e 2/7a, 21
sondern 2/4b, 18
sondern auch 6/6a, 84
Sonnabend, der, -e 7/6a, 102
Sonntagsbraten, der, – 4/2b, 48
sonstig 7/6a, 102
Sorge, die, -n 5/6b, 70
sowie 2/3a, 17
sowohl ... als auch 1/6a, 6
spannend 4/6b, 52
Spannung, die (Sg.) 8, 111
Sparprogramm, das, -e 7/2b, 98
spätestens 2/3a, 17
Spedition, die, -en 1/3f, 3
spenden 7/5a, 101
sperren 3/5b, 37
Sperrnotruf, der, -e 3/5b, 37
speziell 6/Und Sie?, 81
Sprach-App, die, -s 5/3c, 67
Sprachenlernen, das (Sg.) 5/3c, 67
Sprachenschule, die, -n 4/Vorhang auf, 53
Sprachkenntnisse, die (Pl.) 5/4b, 68
sprachlich 5/Vorhang auf, 71
Sprachprofil, das, -e 5/2d, 66
Sprechstunde, die, -n 6/6a, 84
Spritze, die, -n 6/1c, 79
Spur, die, -en 7/7a, 103
stabil 6/6a, 84
Stadtwald, der, ¨er 7/6a, 102
Stall, der, ¨e 7/4a, 100
Stammkunde, der, -n 8/6b, 116
Standby-Modus, der (Sg.) 7/2b, 98
ständig 1/2a, 2
Stapel, der, – 4/3b, 49
Star, der, -s 8, 111
Startguthaben, das, – 3/5c, 37
Staub, der (Sg.) 1/1a, 1
Steckdose, die, -n 7/2b, 98
Stecker, der, – 7/2b, 98
stehlen, stiehlt, stahl, hat gestohlen 3/2d, 34
Stehtisch, der, -e 2, 15
steigen, steigt, stieg, ist gestiegen 1/7b, 7
Stofftasche, die, -n 7/3c, 99

stolz 5/4a, 68
Störung, die, -en 1/6a, 6
Strauch, der, ¨er 1/6a, 6
Streichholz, das, ¨er 8/6b, 116
Stromspartipp, der, -s 7/3c, 99
stürzen 6/1c, 79
Subjekt, das, -e 6/4c, 82
Substantiv, das, -e 4/3b, 49
Suchmaschine, die, -n 7/5a, 101
Summe, die, -n 3/4c, 36
Superlativ, der, -e *(Es ist das Musical der Superlative.)* 8, 111
süß *(Hier gibt es von süß bis sauer etwas für jeden Geschmack.)* 2/7a, 21
Süße, das (Sg.) 4/6b, 52
Süßigkeit, die, -en 8/6b, 116
tabu 5/1d, 65
Tandempartner, der, – 5/3d, 67
Tankstelle, die, -n 2/2a, 16
Tankstellenshop, der, -s 8/6b, 116
Tanzkurs, der, -e 6/Und Sie?, 82
Taschengeld, das, -er 3/4b, 36
teilnehmen, nimmt teil, nahm teil, hat teilgenommen 4/6b, 52
Tempo, das, -s 4/7a, 53
Thermoskanne, die, -n 7/5a, 101
tief 6/5e, 83
tiefgekühlt 2/2b, 16
Tierhaar, das, -e 6/Und Sie?, 81
Tischgespräch, das, -e 4/Vorhang auf, 53
tolerant 5/6b, 70
Trainingshose, die, -n 6/4a, 82
Transport, der, -e 2/3a, 17
transportieren 7/5a, 101
trauen 5/4a, 68
Treffen, das, – 3/3a, 35
trennen 1/4b, 4
Treppenhaus, das, ¨er 1/4b, 4
treu 7/7b, 103
Trinkflasche, die, -n 7/5a, 101
Trinkhalle, die, -n 8/6b, 116
Überblick, der, -e 3/4d, 36
übersehen, übersieht, übersah, hat übersehen 2/5a, 19
überweisen, überweist, überwies, hat überwiesen 2/5a, 19
überzeugen (sich) *(Ich habe mich von der Qualität überzeugt.)* 2/3a, 17
üblich 5/5d, 69
übrigens 5/6b, 70
um *(Hier um die Ecke gibt es einen Laden.)* 2/2b, 16
um ... zu 4/6b, 52
umtauschen 2/4c, 18
Umwelt, die (Sg.) 2/7a, 21
Umweltaktion, die, -en 7/6, 102
umweltfreundlich 7/Vorhang auf, 103
Umweltprojekt, das, -e 7/5a, 101
Umweltschutz, der (Sg.) 7/1b, 97
Umweltschutzprojekt, das, -e 7/7a, 103
Umweltsünde, die, -n 7/Und Sie?, 101
Umweltthema, das, -themen 7/7b, 103
Umweltverschmutzung, die, -en 7/7b, 103
unerwartet 2/Und Sie?, 16
Unfallart, die, -en 6/3b, 81
Unfallort, der, -e 6/3b, 81
Unfallversicherung, die, -en 3/2b, 34
ungesund 4/5d, 51
ungewöhnlich 5/5c, 69
unhöflich 3/6b, 38
unter *(Unter der Woche habe ich wenig Zeit.)* 2/2b, 16

Quellen

Fotos, die im Folgenden nicht aufgeführt sind: Hermann Dörre, Dörre Fotodesign, München

S. 2 Shutterstock (Elvetica)

S. 5 A: Shutterstock (Eugenio Marongiu), B: Fotolia (Harald Biebel), C: Shutterstock (Gordon Swanson), D: Shutterstock (Monkey Business Images), E: Shutterstock (Iakov Filimonov), F: Shutterstock (gmstockstudio)

S. 7 oben: Shutterstock (Jorg Hackemann), unten: Shutterstock (Matyas Rehak)

S. 8 Shutterstock (DanielW)

S. 9 Shutterstock (Dmitry Kalinovsky)

S. 10 Shutterstock (HamsterMan), Fotolia (mochisu)

S. 11 oben: Fotolia (ufotopixl10), unten: Fotolia (shadowalice), Fotolia (FM2)

S. 12 Shutterstock (Rawpixelcom), Shutterstock (Borja Andreu)

S. 13 von links: Shutterstock (Traveller Martin), Shutterstock (Boris Stroujko), Shutterstock (hecke61)

S. 14 Müllcontainer: Shutterstock (Glinskaja Olga)

S. 15 B: Annalisa Scarpa-Diewald

S. 16 Mike: Shutterstock (Rido), Anna: Shutterstock (Volodymyr Baleha), Sophia: Shutterstock (Rido)

S. 21 A: Shutterstock (ISchmidt), B: Fotolia (Kadmy), C: Shutterstock (Mark Anderson)

S. 22 oben: Shutterstock (InnerVisionPRO), unten von links: Shutterstock (hxdbzxy), iStockphoto (michaelpuche), Fotolia (ikonoklast_hh), Fotolia (Korta)

S. 24 Shutterstock (Anneka)

S. 26 von links: Shutterstock (Iakov Filimonov), Shutterstock (Dmitry Kalinovsky)

S. 27 Shutterstock (UlianaSt)

S. 29 Shutterstock (Tyler Olson)

S. 30 Münze: Paul Rusch

S. 33 Vase: Shutterstock (design56), Ball: Shutterstock (Andresr)

S. 34 D Handy: Shutterstock (ibreakstock), D Vase: Shutterstock (design56), Laptop: Shutterstock (schab), Tablet: Shutterstock (Oleksiy Mark)

S. 39 von oben: Shutterstock (2xSamaracom), Shutterstock (Zurijeta), Shutterstock (icsnaps), Shutterstock (Elena Kalistratova), Fotolia (fotofund)

S. 40 iStockphoto (roibu)

S. 42 oben: Shutterstock (Lisa S), unten von links: Shutterstock (corund), Shutterstock (Spectral-Design), Shutterstock (Tarzhanova), Shutterstock (Winai Tepsuttinum), Shutterstock (davorana)

S. 43 Shutterstock (Rido), Shutterstock (pathdoc)

S. 44 Shutterstock (Ekaterina Pokrovsky)

S. 45 Shutterstock (tarapong srichaiyos)

S. 47 A: Shutterstock (Rawpixelcom), C: Thinkstock (scope-xl)

S. 48 unten: Shutterstock (Everett Collection)

S. 52 von oben links, alle Shutterstock: (robtek), (Markus Mainka), (Julian Rovagnati), (Sura Nualpradid), (M Unal Ozmen), (andersphoto), (Bozena Fulawka), (Elena Schweitzer), (Pakhnyushchy), (Dulce Rubia), (Robert Neumann)

S. 56 Shutterstock (Photobac), Shutterstock (Foodio)

S. 57 Shutterstock (Production Perig)

S. 58 Shutterstock (monticello), Shutterstock (lightpoet)

S. 59 Shutterstock (tsarevv)

S. 61 A: Tourismusverband Region Hall-Wattens (Gerhard Flatscher), B: Stadt Werder, C: Ascona Locarno Tourism

S. 62 Shutterstock (Alinute Silzeviciute), Shutterstock (Monkey Business Images)

S. 64 Fotolia (Daniel Ernst)

S. 66 A: Annalisa Scarpa-Diewald, B: Shutterstock (Monkey Business Images), C: Shutterstock (wavebreakmedia), unten: Shutterstock (ZouZou)

S. 68 Sven: Thinkstock (Bombaert), Malik: Thinkstock (İsmail Çiydem), Tom: Thinkstock (leungchopan)

S. 70 Thinkstock (ColorBlind Images), Thinkstock (Monsterstock1), Thinkstock (Malchev)

S. 72 Shutterstock (Iakov Filmonov)

Video-Clips zu **Linie 1**

Scannen Sie den QR-Code und sehen Sie das Video zu den Kapiteln.

Kapitel 1 und 2
zu Kapitel 2, Aufgabe 7

Kapitel 3 und 4
zu Kapitel 3, Aufgabe 5

Kapitel 5 und 6
zu Kapitel 6, Aufgabe 6

Kapitel 7 und 8
zu Kapitel 8, Aufgabe 7

Die Rollen und die Darsteller

Eleni Dumitru:	Jenny Roth
Verkäuferin:	Alma Naidu
zweite Kundin:	Annette Hammerschmidt
Markus Kranz:	Florian Marano
Selma Kranz:	Christina Marano
Bankangestellter:	Florian Stierstorfer
Arzthelferin:	Sarah Schütz
Ben Bieber:	Helge Sturmfels
Patientin:	Angela Kilimann
Reisegruppe:	Familie Kim-Guez, Ada und Milla
Reiseführer:	Matthias Koopmann, Stadtfuchs Passau

Produktion:	Bild & Ton, München
Schnitt:	Andreas Scherling
Drehbuch und Regie:	Theo Scherling
Musik:	Annalisa Scarpa-Diewald
Zeichnungen:	Theo Scherling

Links

Kapitelwortschatz unter www.klett-sprachen.de/linie1/kapitelwortschatzB1
Online-Übungen unter www.klett-sprachen.de/linie1/uebungenB1
Im Buch steht: www → B1/K1   Klicken Sie *Übungen B1* → *Kapitel 1* an.

Audiodateien zum Download unter www.klett-sprachen.de/linie1/audioB1   Code: L1-b1&Xc
Videodateien zum Download unter www.klett-sprachen.de/linie1/videoB1   Code: L1-b1&rr

Prüfungsaufgaben in B1.1

Die Testtrainings in Linie 1 B1 bereiten auf die Prüfungen [P DTZ] Deutsch-Test für Zuwanderer, [P telc] telc Deutsch B1 und [P Goethe/ÖSD] Goethe-/ÖSD-Zertifikat B1 vor.
Sie finden sämtliche Aufgaben aus diesen Prüfungen entweder in den Testtrainings oder in den Übungs-teilen der Kapitel.
Auf unserer Homepage unter www.klett-sprachen.de/tests sowie unter www.telc.net, www.goethe.de und www.osd.at finden Sie komplette Modelltests.

	Deutsch-Test für Zuwanderer	telc Deutsch B1	Goethe-Zertifikat B1
Hören			
Teil 1	Testtraining A, 1, S. 31[2]	Linie 1 B1.2	Testtraining C, S. 95
Teil 2	Testtraining A, 1, S. 31	Linie 1 B1.2	Linie 1 B1.2
Teil 3	Testtraining C, S. 95	Linie 1 B1.2	K1, ÜT, 6a, S. 12[2]
Teil 4	Linie 1 B1.2	*	K7, ÜT, 7c, S. 109
Lesen			
Teil 1	Linie 1 B1.2	Linie 1 B1.2	Linie 1 B1.2
Teil 2	Testtraining B, 1, S. 63	K6, ÜT, 6c, S. 90[1]	K6, ÜT, 6c, S. 90[2]
Teil 3	Testtraining D, S. 127/128	Testtraining B, 1, S. 63[1]	Testtraining B, 1, S. 63[1]
Teil 4	K3, ÜT, 3c, S. 41[2]	*	K2, ÜT, 2, S. 23[1]
Teil 5	Linie 1 B1.2	*	Linie 1 B1.2
Sprachbausteine			
Teil 1	*	Linie 1 B1.2	*
Teil 2	*	K5, ÜT, 3d, S. 74	*
Schreiben			
Teil 1	Testtraining A, 2, S. 32 K1, ÜT, 3e, S. 10[2]	Linie 1 B1.2	Linie 1 B1.2
Teil 2	*	*	Testtraining D, 2, S. 128
Teil 3	*	*	Linie 1 B1.2
Sprechen			
Teil 1	Testtraining B, 2, S. 64	Testtraining C, 2, S. 96	Linie 1 B1.2
Teil 2	Testtraining C, 3, S. 96	Linie 1 B1.2	Linie 1 B1.2
Teil 3	Linie 1 B1.2	Linie 1 B1.2	Linie 1 B1.2

---

[1]   Die Prüfungsaufgabe im Buch hat nicht genauso viele Aufgaben wie die Original-Prüfung. Aber auch so kann man die Aufgaben gut kennenlernen und trainieren.

[2]   Diese Prüfungsaufgabe finden Sie in Linie 1, B1.2.

*   Dieser Aufgabentyp existiert in dieser Prüfung nicht.